日常にある色

色の自然誌

中井　和子

はじめに

『色の自然誌』のタイトルで短文を書き始めたきっかけは、約30年間におよぶ私の非常勤講師の大学での講義にあります。北海道内の幾つかの大学で「景観」、「環境デザイン」、「色彩論」などの講義を担当していましたが、講義テーマに相応しい教科書が見つからないことから、自分で作成したパワーポイントの内容を配布していました。しかし、色に関しては講義内容が多様な分野に横断的に関係することから、学生が興味を抱けるビジュアルなコラムの作成を思いつきました。

「色彩論」や「色彩学」の専門書は、カラー印刷であることから高価なことが多く、また「色」については広告・サイン等のビジュアル系デザインからファッション・プロダクト系の物のデザイン、さらに建築・景観系の空間・環境デザインまで、広い分野で色彩論が展開されているので、全分野の専門書を教科書とすることは不可能です。

私たちが日常生活で出会う「色」をテーマにして、色に関するミニ知識にまとめたのが『色の自然誌』です。専門家から見れば、広く浅い情報内容でしかありません。人々が毎日の暮らしの場面で、「色」に関するさまざまな現象に気づいてほしいと思います。

人間は情報の約70％を視覚から得ていますが、なかでも色に関する情報が大きな割合を占めています。しかし、「色」に関しては、理解しているようで漠然としか認識されていないことも多いです。人が色を知覚する仕組みが理解できれば、日常生活において、楽しく活用できるのではないかと思います。『色の自然誌』は、ネイチャーマガジン誌『モーリー』№30～№58（北海道新聞野生生物基金）に掲載されました。

本書は、『モーリー』誌掲載の内容をもとに、加筆・修正を加えたものです。

ご一読いただければ幸いです。

中井　和子

「色の自然誌」目次

1 ・光と色

色を知覚する

人間はどの様な仕組みで、色を見るのであろうか。

画家であった叔父は、「物に色がついているのではなく、光が物体に反射して人間の眼が色を知覚しているのだよ。」と、小学校の高学年だった私に説明してくれた。様々な色の物体が溢れているように見える眼前の光景からは想像しづらい内容で、当時の私には叔父の話を理解することはできなかった。

私たちは誰かに教わらなくとも、音を聞き、臭いを嗅ぐなど五感を働かせることができるが、「色を知覚する」場合も同様である。一般に「色」は、美術や芸術、デザイン関係の領域の話であると思われがちだが、人間が色を知覚する仕組みを理解するには、物理学や生理学などの科学的知識と、心理学や社会学なども含めた多面的な知見が必要である。美学やデザイン分野で扱う「色彩学」は、人間が色を知覚した後に、審美的に有効に色を活用するための表現方法の学問といえる。

『色の自然誌』では、人間と色の関係について多角的視点から考えたい。人々が色を知覚する仕組みがわかれば、日常生活のさまざまな場面における色に関する疑問が、より明快になるであろう。

私たちは学校で三角プリズムを通過した太陽光が、虹色に分光される実験を行った。白色光をプリズムで分光すると、虹状の色のスペクトルとなることを17世紀に発見したのは、万有引力の法則で有名な科学者ニュートンである。この虹状の光は人間が色を知覚できる「可視光：visible light」で、光の波長を表す単位のナノメートル（ナノメートルnm：10億分の1メートル）の単位で表現される。可視光の範囲は380nm～780nmであるが、可視光には短波長の菫から中波長の緑、そして長波長の赤が含まれる（図1）。太陽

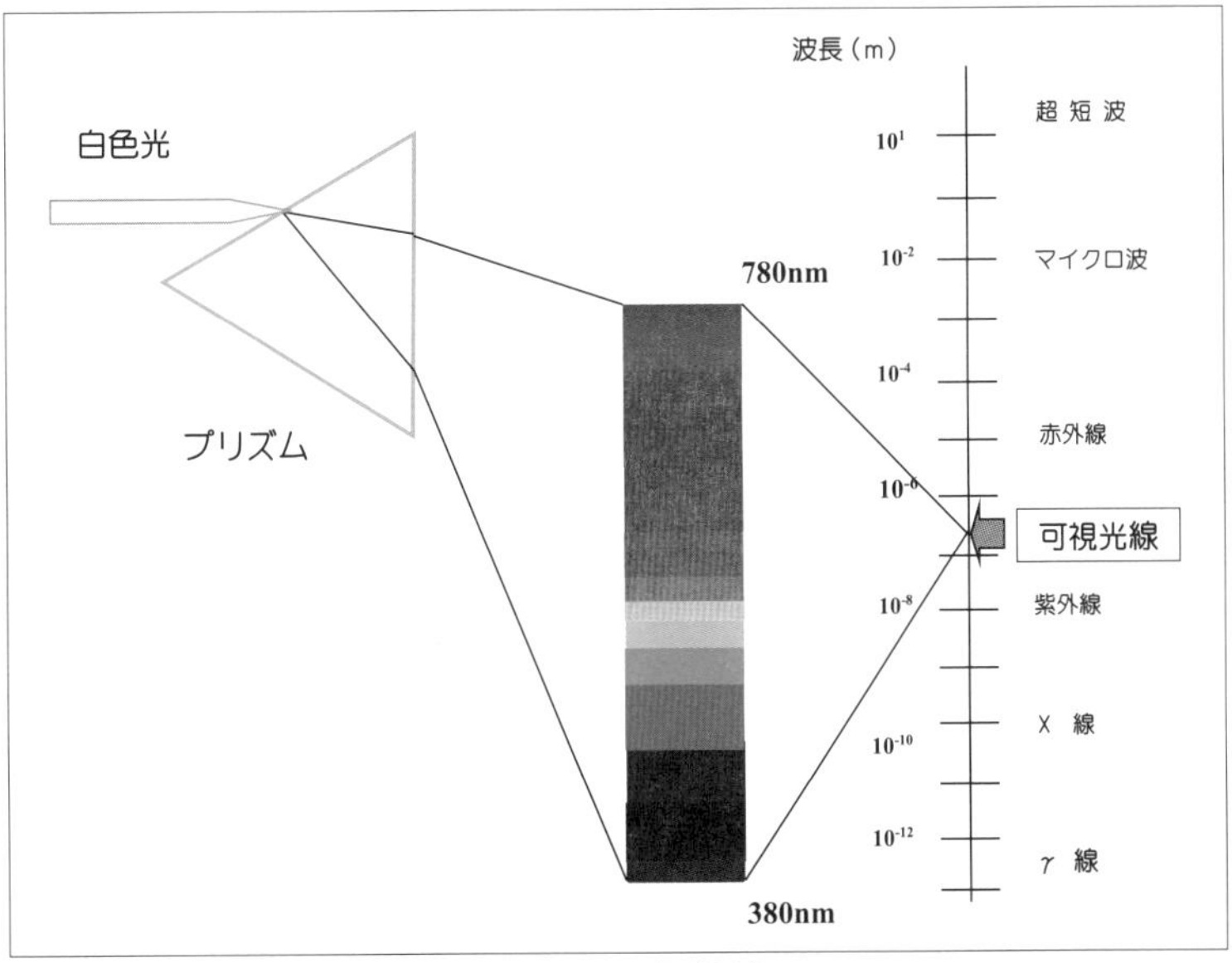

図1：プリズムで分光した太陽光のスペクトル（可視光）

光は電磁波の一種であるが、電磁波には他にもラジオやテレビの電波、赤外線や紫外線、放射線や宇宙線なども含まれる。しかし、「可視光」以外の太陽光の電磁波に対して、人間の視細胞は色を感知することができない。例えば、平成23年3月11日の東日本大震災に伴う福島第一原発事故では、放射性物質が大量に放出されたにもかかわらず、眼前の放射線の有無や拡散範囲などを視覚的に確認することはできなかった。

人間は暗闇で色を見ることはできない。色を知覚するには可視光が必要で、380㎚から780㎚の可視光線が物体にあたると、物体の表面で反射または吸収される。反射した光を人間の眼が受光すると、眼の網膜にある視細胞を刺激して「明るさ」や「色の知覚」を生じさせる。眼の網膜は厚さ約0・25㎜の薄い細胞組織である。網膜の視細胞には、色を感知する「錐体」と明るさを感知する「桿体」の2種類が存在する。錐体には赤・緑・青(R・G・B)の波長の光に反応する3種類の細胞があり、網膜上で受光した光の刺激が視神経の経路を通して大脳の視覚領に伝えられて、初めて色彩感覚となり色が認識できる。物体に色があるのではなく、光と物体と人間の相互関係から色が感知される仕組みである(図2)。錐体の赤・緑・青の3種類の視細胞は光の刺激の強弱を調整して、多様な色の識別を可能にする。パソコンやテレビの画面は「光の色」である。赤・緑・青(R・G・B)の3種類の光ですべての色を表現するが、人間の眼の網膜の組織に準じている。しかし、人間の錐体にある赤・緑・青の視細胞のいずれかが欠損したり、働きが弱い場合には、赤や緑あるいは黄や青の識別が難しい色覚障害と呼ばれる症状となる。

すべての生物が同様に色を知覚しているわけではない。人間が赤・緑・青の3種類の錐体を持つのは、遠い太古の先祖が緑の自然のなかで熟した赤い実を発見しやすいためであったと言われている。霊長類は人間とほぼ同様な色覚を持つが、犬や猫やブタなどの哺乳類には、赤と青の2種類の錐体しかない生物も生存するそうである。一方、鳥類や漁類には4種類の錐体を持つ生物もいる。昆虫類のハチやモンシロチョウなどでは、紫外線

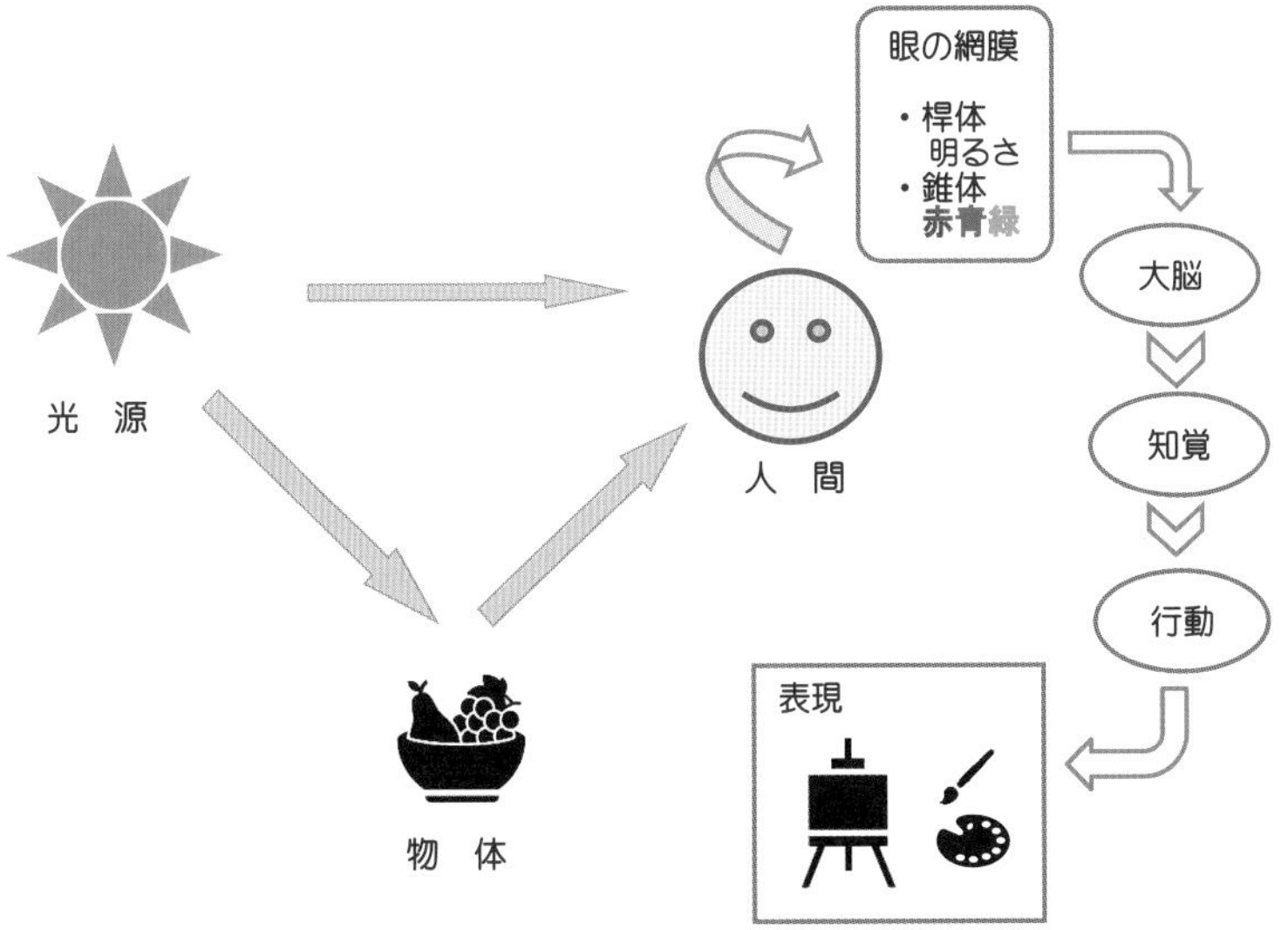

図2：光と物体と人間の関係

領域をも感知できる錐体細胞が確認されている。人間の可視光より広い範囲の光を感知して、色を知覚していることになる。

夜行性の動物は聴覚や嗅覚の組織は鋭敏だが、昼間に色を知覚する仕組みはあまり発達していない。また、食物連鎖の頂点にいる動物は、捕獲する立場の優位性からか、一般に外観の色はあまり美しくない。野生生物は、身を隠すための保護色の機能、或いは、求愛や威嚇のための鮮やかな色の表現など、自然の摂理に応じて自らの色を知覚する仕組みを獲得してきた。色を感知する視細胞が生物により異なるのは、その種が生き残るための遺伝的仕組みのなかに、色の知覚があるからであろう。

多種多様な色が氾濫する都市空間に生きる現代人の生活は、緑の自然に赤い果実を求めた原始の生き方とは無縁である。遠い遠い未来に生きる人類の子孫の網膜には、何色を知覚する錐体が遺伝的に保持されているのであろうか。

1

2

3

4

5

色の光景

自然現象は日常生活に忙殺されがちな私たちに、時に感動的な色の光景を見せてくれる。例えば、晴天の日のどこまでも抜ける澄んだ青空、日暮れどきの朱赤に染まった夕焼け空、雨あがりの空にかかる虹など、太陽光による自然が創り出す光の景色は、一瞬一瞬の輝きが新鮮で同じ光景は二度と現れない。芸術家や詩人でなくとも、自然が創造する時空を超えた豊かな色のひろがりには、感動し心動かされるものがある。

色は光の電磁波の一種で、人間は「可視光」と呼ばれる電磁波の範囲内（380～780ナノメートル）の光で、色を知覚している。光は波と同じ性質をもっていることから、物体にぶつかれ

虹

ば「反射」し、あるいは「回折」して物体の周囲に回り込む。透明な液体やガラスなどに光が入射すれば、光は「屈折」して液体やガラスの内部を「透過」する。また、波と同じように山と谷の振幅があり、山と山、谷と谷が重なり合えば光に強弱が生じる。今回は、太陽光による自然現象が創り出す、身近な「色の光景」についてお話ししたい。

空の雲

夕焼け

撮影地：北海道

晴れた日の青空は、天空がどこまでも高く突き抜けているように感じられる。このような色を「開口色（aperture color）」または「面色（film color）」と呼ぶが、はっきりとした境目がなく、つかみどころのないような広がりの色をさす。晴れた日の太陽光は、大気中の塵や微粒子にあたると、菫色や青色の短波長の光が特に強く反射・散乱させられる。この現象を人間が地上から見上げると青空に見える。一方、曇りの日には天空の低いところに、水蒸気の集まりである雨雲が存在する。雨雲の細かい水滴に太陽の可視光があたると、赤色から菫色までの光が、さまざまな方向に乱反射することから、光の混合が行われて白い雲として見えてくる。学校の美術の時間に学んだ、赤、緑、青の光の3色を混色すると、白くなる『色光の3原色』の現象である。

美しい夕焼け空も、太陽光の散乱による現象である。夕刻になると太陽は、地上で夕日を見る人間の位置からは遠い地平線や水平線のかなたに沈む。日中は真上にあった太陽だが、夕日は大気圏を斜めに長い距離にわたり通過して地球上の私たちの元へと届く。従って、途中で散乱の影響をうけにくい長波長の赤い光が主流となり、赤色から橙色の光が散乱する夕焼け空となって地平線や水平線の彼方に見える。刻一刻と色が推移する日没時の美しい光景を前にすると人々は寡黙になり、悠久に繰り返される自然の偉業に感謝の念すら湧いてくる。古今東西の芸術家やデザイナーたちが、夕暮れの景色を再現しようと試みるが、自然現象が創出する微細な色調の再現はなかなか難しい。

我が家の北側の窓から、春先と初秋の雨あがりの空に、弧を描いてかかる虹がたびたび観察できる。虹の現象は、空気中の水滴がプリズムの役割を果たし、入射した太陽光が水滴内で屈折して、短波長の菫色から中波長の緑色、長波長の赤色まで、各々の光の異なる屈折角度に応じて虹が発生する。下の方から順に、菫、藍、青、緑、黄、橙、赤と、虹色のスペクトルとなって私たちには見える。雨あがりの空に虹を発見すると、映画『オズの魔法使い』の中で歌われた「虹の彼方に（Somewhere Over The Rainbow）」の歌詞を口ずさんでしまう。何か良いことが起こるのではないかと、幸せな気持ちになってくる。

子供の頃よく遊んだシャボン玉の表面には、虹状に流れる美しい光模様が時々現れる。シャボン玉の虹状模様は、光の干渉による現象で発生する。光は波と同じ性質を持っているので、波のように山の部分と谷の部分の振幅が存在する。山と山が重なれば強まり、谷と谷が重なれば弱まる。山と谷が重なると、打ち消し合う。このような光の干渉現象により光に強弱が生じて、虹状のさまざまな色が出現する。シャボン玉の薄膜は均等の厚さではない上、シャボン玉は球状を変形させてふわふわと飛ぶ。シャボン玉に光があたると、一部はシャボン玉の外側で反射し、別の光はシャボン玉の内部で入射・屈折しながら反射を繰り返すなどして、それらの光が互いに干渉し合って虹状の模様が発生する。

同様な現象はタマムシやコガネムシなどの昆虫類の羽、真珠やアコヤ貝の貝殻の内側にも観察できる。光のあたる方向により、表面が緑や赤紫など多様な色に変化して見える、いわゆる「玉虫色（たまむしいろ）」の現象である。玉虫色は光の方角により、金色の輝きを伴って見えることから、古来より染色などの名称にも使用され、貴重な色として再現が試みられた。さらに「玉虫色」の言葉は、解釈の仕方でどちらの意味にもとれる、どっちつかずの状況を表現する、あいまいな状態を説明する便利な言葉として、マスコミなどでも使用されている。

素晴らしい色の光景と微妙な色調の変化を見せてくれる、太陽光による自然現象について知ると、私たちはもっと丁寧に色の使用について考える必要があると感じる。自然の色づかいに負けないように。

玉虫

10

シャボン玉

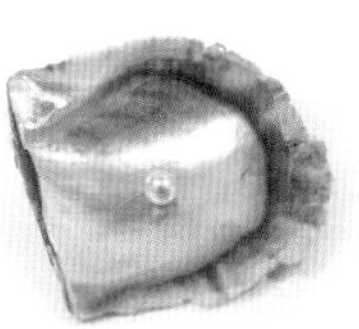

11

アコヤガイ

色のついた陰

吹雪いた翌朝の雪景色は眩しいくらい美しい。前日の暗雲は風で吹きとばされ、風紋を描く雪の丘陵地に太陽光が降り注ぐ。雪原に投影された樹木や建物の陰は、黒ではなく青みをおびて見える。また、白壁に投影された樹木の陰や、日暮れ時のオレンジ色の夕日に照らされた物体の影なども、我々には青紫色を帯びて見える。このような現象は「色陰現象：colored shadow phenomenon」と呼ばれる。

ドイツの文豪ゲーテは著書『色彩論』[注1]で、「色のついた陰」について、次のように記している。「黄昏どき、白い紙の上に低く燃えるロウソクを立て、ロウソクと傾く日の光の間に一本の鉛筆をまっすぐ立てて、ロウソクの投ずる陰影が弱い日光によって明るくされはするが消されはしないようにすると、その陰影はいとも美しい青色に見えるであろう。」夕日が照らす白紙の上に鉛筆を立て、反対側からロウソクのオレンジ色の光で照らし陰をつくると、補色関係[注2]にある青紫色をおびた陰が見える現象で

北海道の雪景色の光と影

雪景色の夕暮れの光と影

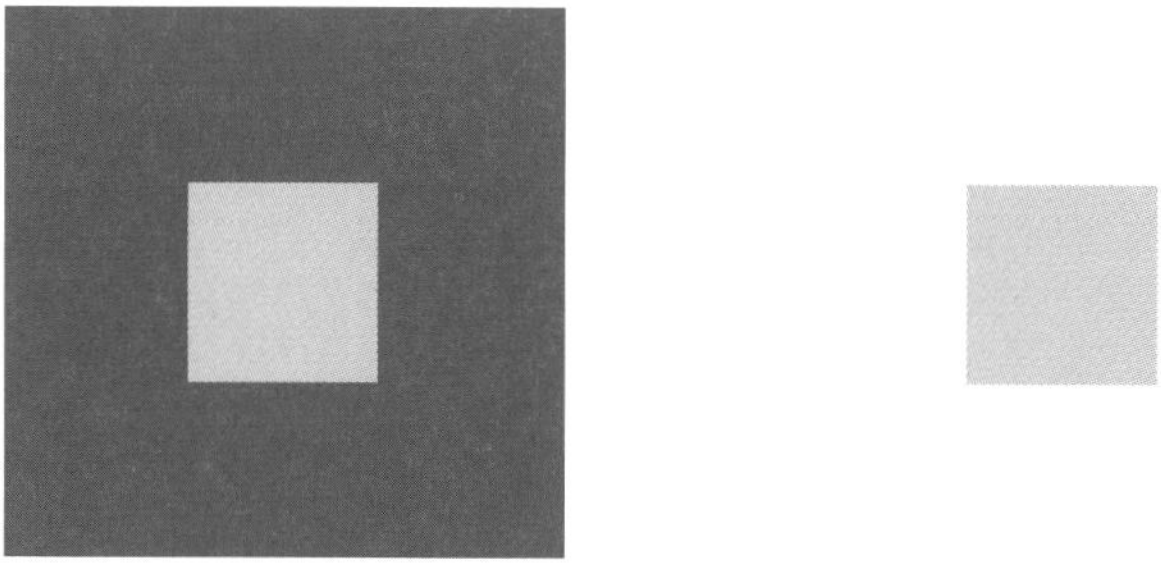

図1：色陰現象：「地」が青の場合、「図」となる灰色は黄色がかって見える。「地」が黄色の場合、「図」となる灰色は青色がかって見える。青色と黄色は補色関係にある。

ある。対象物の色彩は、その背景や周辺環境の色と対比されて、人間の色知覚に影響を及ぼす事例である。

日常の身近な場面でも、色の対比による見え方の変化を体験できる。例えば、青い色紙と黄色い色紙の上に、明るい灰色の小紙片を置く。すると、青い色紙上の灰色の紙は青色の補色である黄色みをおびて見え、黄色い色紙上の灰色の小紙片は黄色の補色である青紫をおびて見える。青色と黄色は補色関係にあることから、色陰現象の一種と認識できる。同じ灰色の紙片でも背景の色が変わると、人間には本来の色からずれて見える色対比の色覚現象である。

色彩に関する研究には、歴史的に大きく二つの流れが存在する。一つは、ニュートンに始まる、「光」による色知覚の科学的研究を軸とする。ニュートンは1666年に光をプリズムで分光して虹状のスペクトルを発見し、1704年に『光学』を刊行した。もう一つは、ゲーテの『色彩論』に始まる人間の色彩感情を軸とする現象学的研究で、日常的に体験する色彩に関する生理的現象を、人間の心理的側面から分析した。ゲーテの『色彩論』は、ニュートン理論を批判する形で1810年に発表される。

光の特性は、波と粒子の特徴を持つ電磁波として表現されるが、色彩の感覚的特性では「色の三属性」、即ち色を「色相・明度・彩度」で表す。日常生活の場では、色相・明度・彩度での表現の方が分かりやすい。

色には「光の色」と「物体の色」がある。「光の色」は、混色するほど明るくなる「加法混色」で、「色光の三原色」（R赤・G緑・B青）で表示される。例えば「光の色」には、テレビやパソコンやスマートフォンなどの画面の色が存在し、R・G・Bの色光の三原色で表現される。「物体の色」の表現には「色料の三原色」であるM（マゼンダ）、Y（イエロー）、C（シアン）がある。混色して色を重ねるごとに色の明度・彩度が減少し、濁った暗い色調となるので「減法混色」と呼ばれる。例えば、油絵や水彩画、などが対象となる。パソコン画面をプリンターで印刷すると色みが異なって見えるのは、パソコン画面で見た加法混色の「光の色」を、印刷物として「物体の色」で見ているからである。

ニュートンやゲーテの色彩論に影響されたのが、ヨーロッパの印象主義からポスト印象主義の画家たちである。1800年代後半頃から、マネ、モネ、ルノワール、セザンヌ、シスレー、スーラーらの印象派からポスト印象派の画家達は、自然の中に身を置いて、時間とともに移り変わる光と陰が創り出す、つかの間の多様な色彩の表現方法を追求した。絵画表現においては、多数の色の混色や重ね塗りは、色の鮮やかさを損なってしまう。そこで、新印象派のスーラーやシニャックらの画家たちは、虹状に分光された赤や緑や青の色を点（ドット）で表現し、併置混色する点描画法で風景や人物を描写した。人間の眼の網膜上で、併置した色の点描画を混色して色知覚を生じさせる絵画表現を試みた。

ルノワールは光とともに陰の表現にもこだわり、『ムーラン・ド・ラ・ガレットの舞踏会』や『習作：トルソ光の効果』などでは、陰の部分に青や緑の色彩を使用している。ルノワールの描く人物像の肌色は、溌剌として生命力ある印象を鑑賞者に与える。しかし、当時のパリ画壇では、「腐りゆく肉のかたまり[注3]」と揶揄されている。

また、セザンヌがプロヴァンス地方を題材とした絵画では、南仏の強い陽射しと青紫色をおびた陰が率直に描かれている。1876年7月にセザンヌがピサロに送った書簡では、「…また、日光がきわめて強烈なため、事物が単に白と黒ではなく、さらに青や赤や褐色や紫のシルエットとなって浮き出すように思われます。…[注4]」と、自身の印象を語っている。

しかしながら、ルノワールやセザンヌをはじめ当時の印象主義からポスト印象主義の画家達の絵画は、パリのサロン（官展）やアカデミックな批評家たちには酷評され、セザンヌにいたっては狂人あつかいであった。印象派の画家達は、当時のニュートンによる色光の科学的研究を踏まえて、風景や人物像を描く際の光と陰の色彩描写を再現する表現技法を、探求しつつ試作を重ねていたのである。

南フランスのプロヴァンス地方は、北緯43度に位置する。北海道の札幌と同じ緯度である。地上に降り注ぐ太陽光の質は同じであるから、札幌ではルノアールやセザンヌら印象派の画家たちが体感した陽光で、日常の風景を見ていることになる。北海道の雪景色の陰が、南仏プロヴァンス地方の陰と同じ青紫に見えるのも不思議なことではない。雪国でありながら南フランスの陽光が降り注ぐ北海道は、芸術家にとって豊かな色彩を体感できる素晴らしい大地であるといえる。

プロヴァンス地方の光と影

注1　色彩論：『色彩論』J・W・V・ゲーテ著、木村直司訳、ちくま学芸文庫　2004年10月第5刷

注2　補色：補色（complementary color）とは、2種類の色を混ぜると無彩色となる色同士を言う。色光の混色は白色となり加法混色と称し、絵の具やフィルター等の混色は減法混色と称し無彩色のグレーや黒となる。この補色関係は物理的補色と呼ぶ。人間の眼の網膜上で、最初に凝視した図形の色の反対の色が見えることを補色残像という。補色残像の色の組み合わせと物理的補色の色の組み合わせは、必ずしも一致しない。

注3　『オルセ美術館』図録・オルセ美術館、田辺徹　訳、スカラ、みすず書房　1986年12月

注4　『セザンヌ：パリとプロヴァンス』展図録、国立新美術館・日本経済新聞社編集　2012年3月

色を創る

暮らしの営みの場である身近な自然環境は、季節の推移に伴って素晴らしい色調を見せてくれる。春先の芽吹き時に見る浅い黄緑色。盛夏の濃い緑色への移り変わり。朝夕いっきに冷え込んだ初秋の日には、黄金色から赤茶色へと変化する見事なグラデーションの紅葉が始まる。このように自然の営みが創り出す自然景観は、季節の寒暖の差に応じて多様な美しい色彩表現で、私たちを楽しませてくれる。

光が物体の表面で反射・吸収されて、人間の眼が受光した光の刺激（インパルス）が脳に伝達されると人は色を知

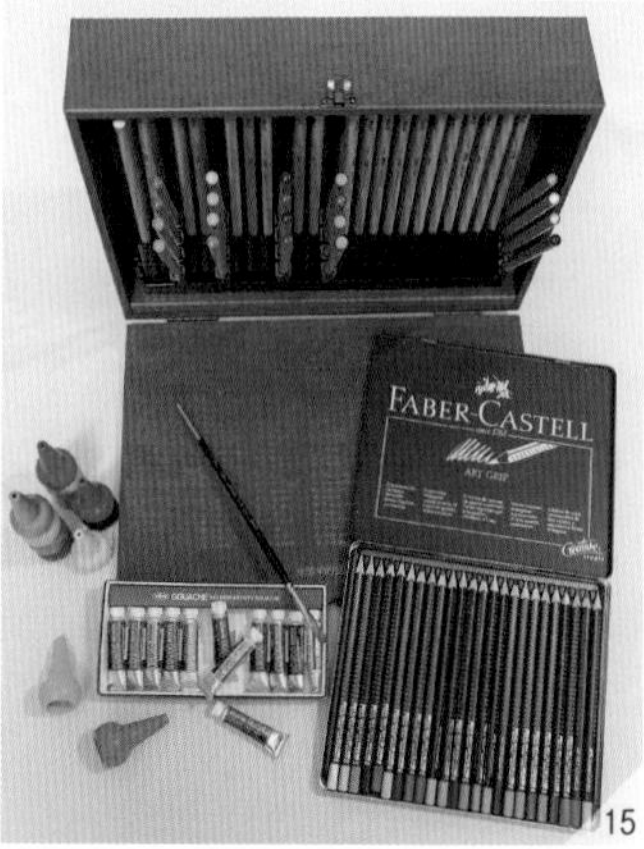

16

ルノワールのアトリエ

15

色を再現する

覚する。しかし、現実の物体の色を表現するには、実際の色彩を再現することができる「色材」が必要となる。色材には、「顔料」と「染料」があるが、顔料は自然界に存在する鉱物や土壌などから採取される比較的大きな色の粒子で、水やアルコールなどの溶剤には溶けない。大昔には洞窟の壁画などで使用されていたが、現在でも絵の具の材料として活用されている。土壌から採取される顔料には、加工されて建築物の外壁等の塗装材として利用されるモルタル類も含まれる。ヨーロッパの田舎を旅行すると、地場産の土壌から生産されたモルタルが外壁に塗装されて、地域固有の色彩の街並みが形成された景観に出会う。

一方、染料の方は、植物や昆虫や動物などの生物を材料として製造される場合が多く、水や溶剤にも溶ける微粒子の色材である。絹や羊毛や綿などの繊維に浸透し定着して染色する。植物の根、幹、葉、花などから採取された天然染料で染めたものが、『草木染』である。日本をはじめアジアの染色文化は、多様な染料の発見と染色

17

18

地場顔料のモルタル塗装

技術の発達と展開を見せてきた。

『色彩：色材の文化史』（フランソワ・ドラマール＆ベルナール・ギノー著、創元社）によれば、「錬金術師たちは、17世紀に入ってもなお活発に研究をつづけており、特に色材や媒染剤に関する分野では重要な発見があいついでいた。」とあることから、色材の研究は、ヨーロッパの錬金術師たちにとって金儲けの手段でもあった。特に深紅や紫や緑などの色に染めあげる色材は、自然界ではなかなか採取できないため、極めて希少価値があった。これらの色彩を表現する新たな色材の発見は、莫大な経済的蓄財を得るための実践手段と考えられていた。

一方、中世から近世にかけてのヨーロッパ世界では、さまざまな色材や媒染剤の発見や製法の研究が活発になされたことから、この時代は科学分野の研究においても、多種多様な発展を見たといわれている。顔料や染料の研究・製造に従事するに際しては、科学的な知識と

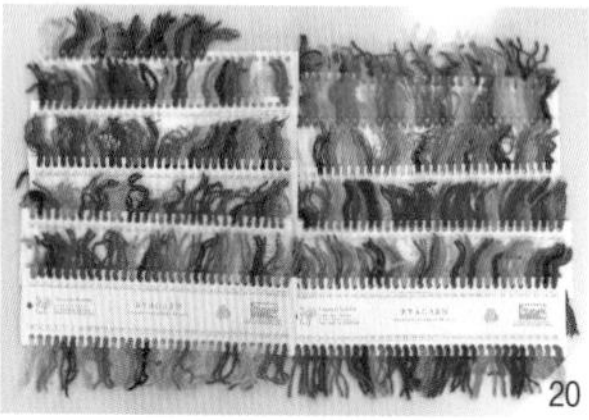
20

19 染色された毛糸と色見本

実践が必要であることから、薬剤類や化粧品類の調合に精通している職人が多数存在していた。日本語の「顔料」の言葉も、「顔料の名称は、顔料が天武天皇の時代に渡来して、顔の化粧に用いられていたことに由来している。」（『色の百科事典』日本色彩研究所編）とあることから、色材を扱う科学的知識をもつ職人が、日本にも存在していたのである。

ローマ帝国時代には赤紫色の染料として、地中海に生息する巻貝の一種からとれる分泌物が使用されていた。1グラムの染料を得るのに1万個近い巻貝が必要であった。希少な色材で染色される深紅や紫などのきわめて貴重な色は、王侯貴族の衣服やローマカトリック教の教皇や枢機卿（すうきけい）の法衣などの色として重要視され、社会的地位を表すシンボルの色として使用が限定されていた。

その後、大航海時代を迎えたヨーロッパでは、東インド諸国への進出やコロンブスのアメリカ大陸発見などに伴い、新たな色材の発見があった。特に、メキシコ先住民が赤色系の色材として使用していた、ウチワサボテンに寄生するコチニールと言う昆虫の発見は、ヨーロッパに深赤色や紫色の色材としての利用をもたらした。

19世紀に入り化学分野の進歩に伴い、天然染料の色材だけでは採取や供給に限界があることから、合成染料の研究が始められる。1856年にコールタールからマラリアの特効薬であるキニーネを合成する際、イギリスの若い研究者ウイリアムス・パーキンは、偶然に生成された物質に美しい菫色の染色作用があるのを発見した。フランス語でゼニアオイの花の色を表現する色名「モーブ（Mauve）」と名付けられる。モーブの明るい菫色の合成染料の発明は、画期的であった。1862年開催のロンドン万国博覧会では、ヴィクトリア女王がモーブ色に染色したドレスを着て出席し、人々の話題を呼んだそうである。

合成染料などの人工的色材を使用すれば、多種多様な色彩を簡単に創出することができる現代社会においては、芸術やデザイン分野に携わる人々を除けば、色彩に関する事柄はそれほど重要な関心事ではない。しかし、実際にモノの色を再現する色材についての歴史を紐解くと、ヨーロッパや日本における当時の権力者や、一攫千金の儲けをもくろむ錬金術師たちの姿、あるいは、大航海時代を背景とした新たな色材の発見と、色材と媒染剤の開発研究に伴う化学の進歩など、いろいろな出来事が浮かび上がってくる。

断片的であった様々な歴史的事象が、「色を創る」ことを介して一つの文脈を形成して現代社会にまで精通していることが、おもしろい。

①～⑧・⑫～⑬　「北の農村フォトコンテスト」応募作品
（一社）北海道土地改良設計技術協会

⑭～⑳　著者撮影

「色彩」メモ❶ マンセル表色系

物体色を表す代表的なスケール（ものさし）が、『**マンセル表色系**』で、**「色相」「明度」「彩度」**の**「色の三属性」**で表示します。
「JIS Z 8721 三属性による色の表示方法」として、JIS（日本工業規格）に採用されています。

『マンセル表色系』による色相・明度・彩度の「色の三属性」は、**「色立体」**として三次元の色空間で表現します。地球に例えて、地軸が「明度」とすると、北極が白色で南極が黒色となり、赤道が純色の**「色相環 hue circle」**となります。「彩度」については、明度の同じ灰色の分量が、「色相環」の純色に至るまで段階的に減少して行くことから、色相の鮮やかさは増加して行きます。「色相環」の一色と縦軸の明度を結ぶ箇所でスイカを切る要領で切り開くと、色相環にあるひとつの色の「明度」と「彩度」を表現する断面を見ることができます。

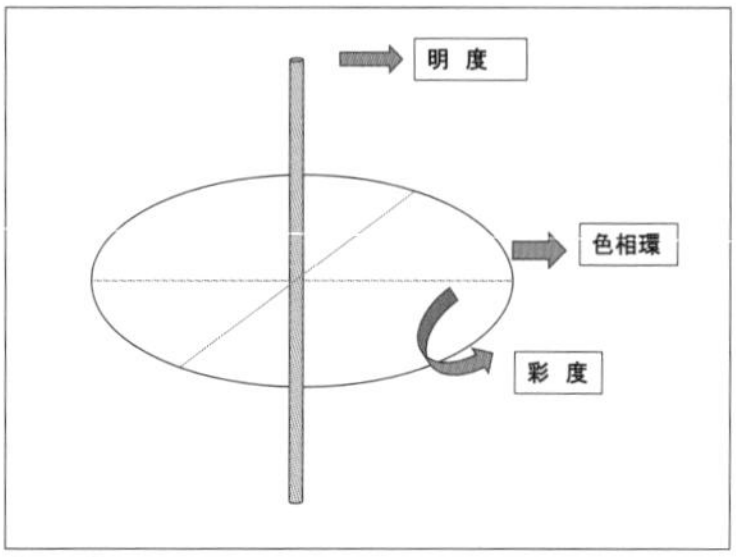

色立体

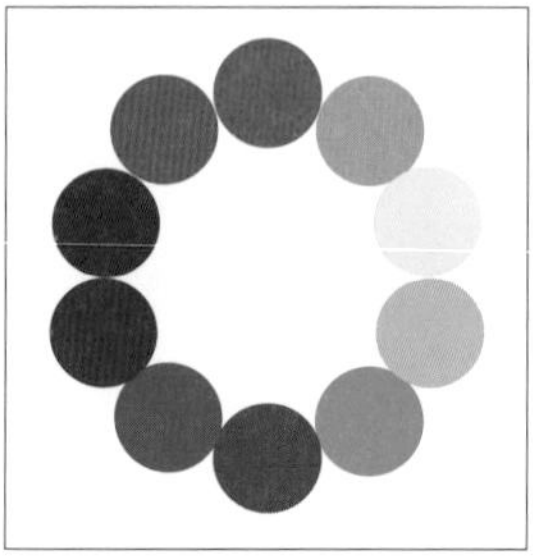
色相環

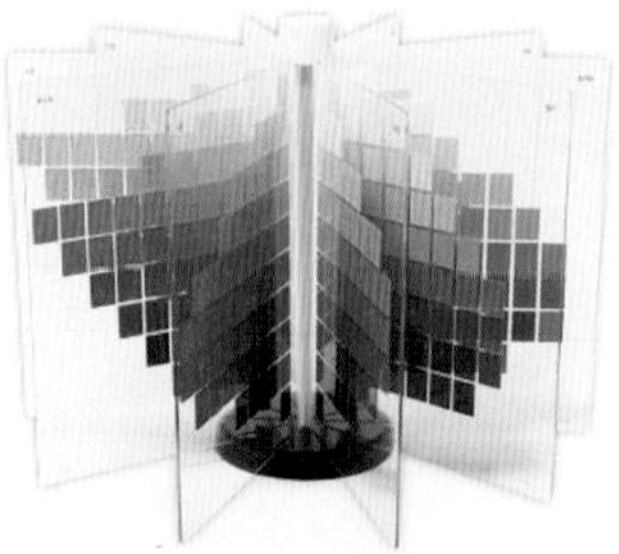

2・色を体感する

色を体感する

日常生活のさまざまな場面で色を意識する。毎日の暮らしの中で使用する衣服や食器、建物内部のインテリアや家具、都市空間における色彩景観など、あらゆる物や空間において、色を通してさまざまな情報を体感することができる。

人間は、視覚、聴覚、嗅覚、味覚、触覚などの五感のうちで、情報の約70％を視覚から得ているといわれる。さらに、対象となる物の色と形から得る情報の認識においては、色から得る情報の方が形からより影響力が大きく、瞬時に視認できる（図1）。我々は幼稚園や小学校低学年ごろまでは、一般的に色の違いから物を判断している。形の違いから物体を認識するの

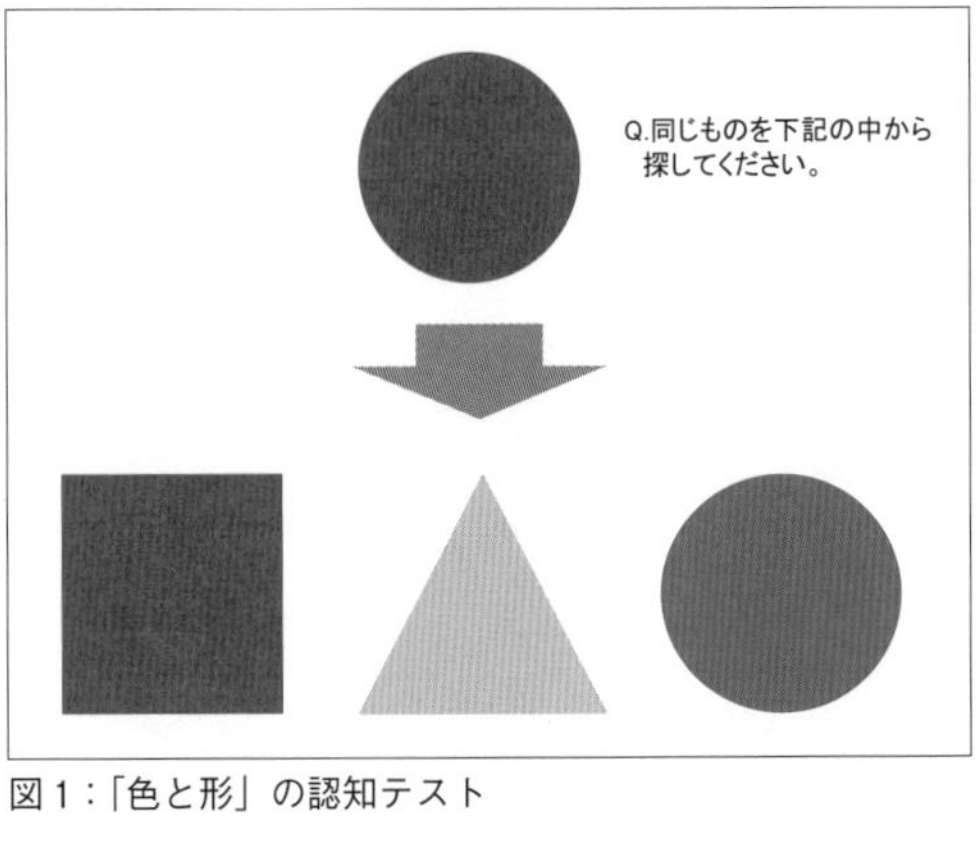

図1：「色と形」の認知テスト

は小学校の高学年あたりからである。例えば、幼稚園では、赤組、青組、白色、緑組などのグループに色分けされ、各色の帽子を被って行動する場合が多い。子供たちが判断し易いように、色の違いによる識別性が活用されている。

「色と形」の関係を物語る現象として、『ストループ効果』（発見者の名前から）と呼ばれる「認知的葛藤」が人間には存在する。例えば、緑や赤の円を見て、緑色の円や赤色の円と答えることは容易である。しかし、「赤色」で書かれた「みどり」や「緑」の文字、あるいは、「緑色」で書かれた「あか」や「赤」の文字を見て、文字の意味を「緑色」や「赤色」と即座に答えるのは難しい（図2）。「赤色」で書かれた「あか」や「赤」の場合と違って、色からの情報と文字が意味する情報とが入り乱れて、すぐには意味が理解しづらい。また、お湯の出る蛇口の色が「青色」で、水の出る蛇口が「赤色」で表記されていたなら、多数の人々が混乱してしまうであろう。瞬時の判断に迷いが生じてしまうこれらの現象が、『ストループ効果』と呼ばれ認

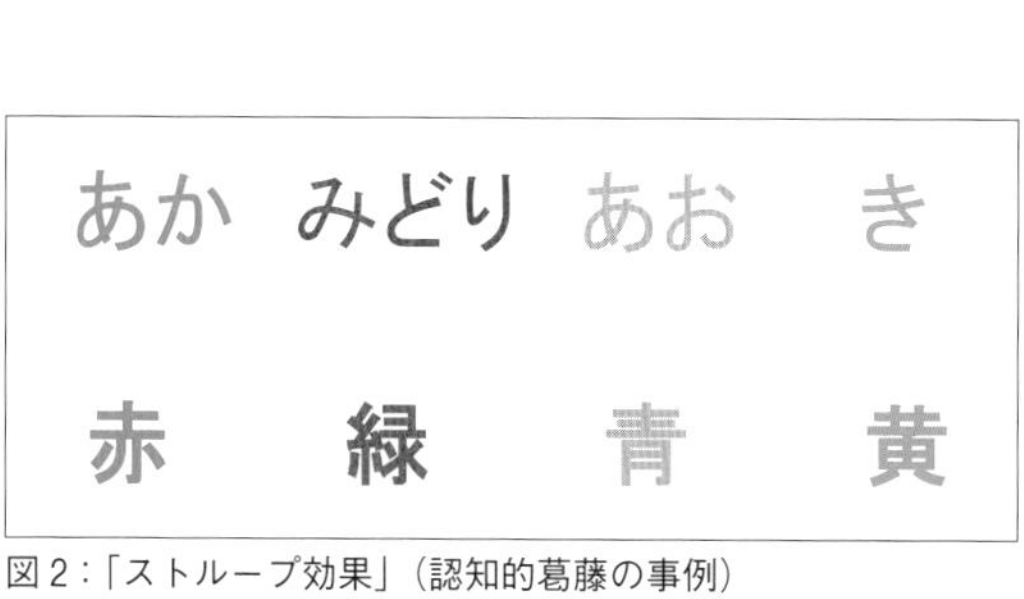

図2：「ストループ効果」（認知的葛藤の事例）

知的葛藤と称される。

私たちは色を知覚することで、多種多様な情報を色から得ている。例えば、先の事例のように、人間は色を通して物体の暖かさや冷たさを感じ、軽さや重さ、柔らかさや硬さなども感じとることができる。対象物に直接触れることなく、色彩からその物体の状態を推測し、色を体感できるのである。また、人間は赤や青や緑などの多様な色彩から、その色に関連するさまざまな物体や事象を連想することができる（図3）。例えば、「赤色」からはトマトやイチゴやリンゴなど具体的な物体をイメージできるし、さらに、情熱や怒り、楽しさや高揚感など、抽象的な感情表現をも連想することができる。

赤色の花
トマト
リンゴ
苺
etc

緑の森林
緑の草木
緑色のカエル
マスカット
etc

図3：色からの連想

色に対して人が抱く色彩感情は、三層構造から成り立っている（図4）。一つ目は、人類が共通に色に対して抱く「根源的色彩感情」で、例えば、「黒」は闇、恐怖、死などを連想させるし、「赤」は炎、情熱、熱さなどを万人に抱かせる。色から受ける軽い・重い、寒い・暖かい、硬い・柔らかいなどの色彩感情も同様である。時代や民族を超えて誰もが抱く、人間が長期間に渡って習得してきた色彩感情である。

二つ目には、地理的条件や歴史・文化などの社会的背景の相違により、人々が抱く色彩に対する多種多様な認識である。例えば、幼児に「お絵かき」をさせた場合、日本の子供たちは太陽やりんごは赤色で描くであろう。しかし、一般的に北ヨーロッパの子供たちが描くリンゴは黄緑色、太陽は橙色もしくは黄色である。なぜなら、

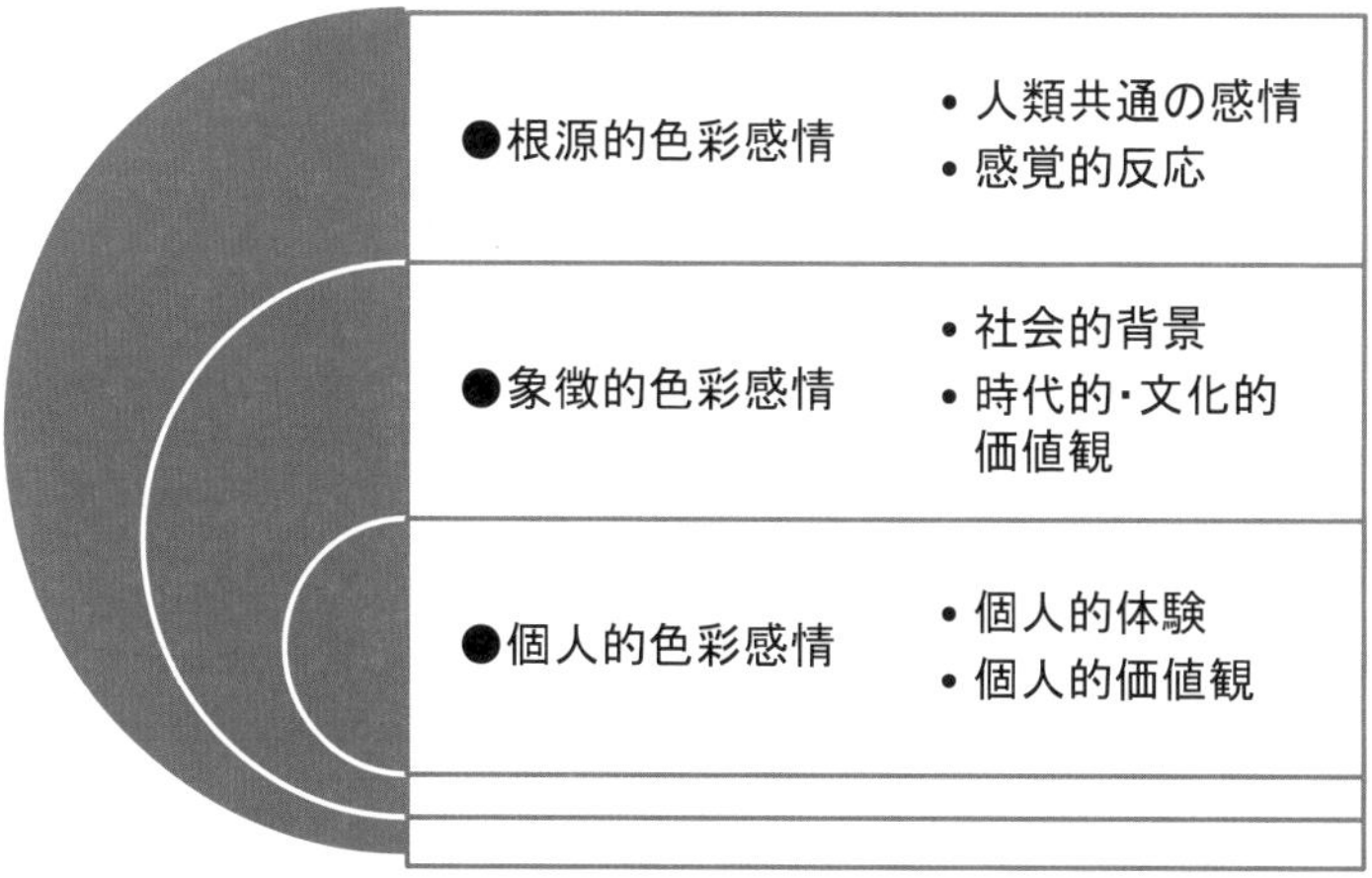
●根源的色彩感情
・人類共通の感情
・感覚的反応
●象徴的色彩感情
・社会的背景
・時代的・文化的価値観
●個人的色彩感情
・個人的体験
・個人的価値観

図４：色彩感情の構成

赤色より黄緑色のリンゴが生産されるヨーロッパでは、リンゴは黄緑色なのである。また、北欧など高緯度に立地する国々や、曇天の日々が多い地域で暮らす子供たちは、薄雲の空の太陽光の淡い陽射しを感じて、黄色がかった太陽を日常的に見ている（図5）。私たちは太陽の光により色を知覚しているから、当然、眼前のさまざまな対象物に対する色彩感情も異なってくる。

歴史的・文化的背景に関してはさらに複雑で、各地域の歴史・文化の理解を通して日常生活における色彩作法を学ばないと失敗する。例えば、中国の陰陽五行説では東西南北の色が東は青、西は白、南は赤、北は黒と決められ、日常生活の多くの場面で慣習的に使用されている。色に対して象徴的意味を付加する場合、その時代や地域文化に規定される社会的背景が関与する、象徴的な色彩感情が存在すると考える。

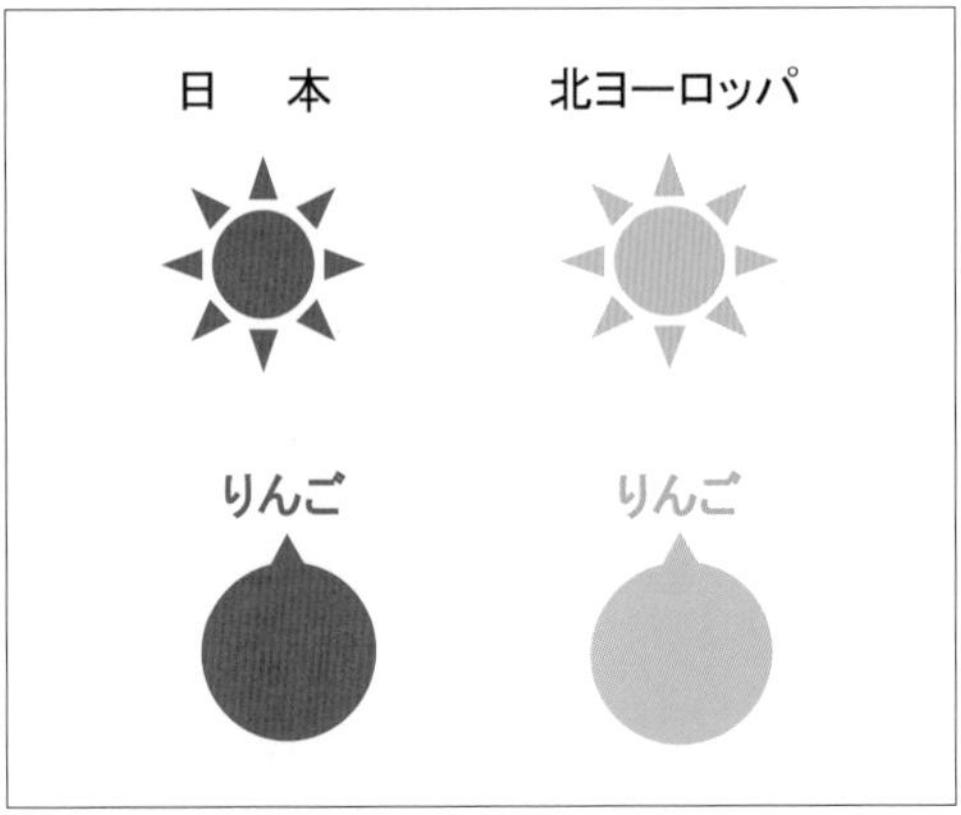

図5：象徴的色彩感情の違い

三つ目の色彩感情は、個人的体験や価値観など個人的資質に関するもので、好き・嫌いや派手・地味など、個々人の評価を伴う色彩感情である。色彩デザインや流行色や嗜好色など各自のセンスを問われる内容で、デザイナーの力量が発揮される色彩感情でもある。

私たちは無意識のうちにも、これら三層から成る色彩感情を通して対象物の色彩を評価し、芸術やデザインなどの創作・表現活動を行い、また、流行色や嗜好色などの商業ベースへも、色彩情報を提供しているのである。

色を見分ける

多種多様な色彩が満ちあふれる現代社会に暮らしていると、人間の色知覚に対する仕組みは、他生物より発達してきたことが実感できる。人間は五感（視覚、聴覚、嗅覚、味覚、触覚）の働きを通して、外界からさまざまな情報を取り入れる。特に視覚からの情報は多く、色彩以外にも、形態、大きさ、数量、動きなども含まれるが、その中でも色からの情報が半分以上を占めている。

生まれたばかりの赤ん坊の最初の関心事は、感触と匂いと明るさと動きである。柔らかい産着やタオルケット、お母さんの暖かい着衣などにさわることで、触覚を通して赤ちゃんは安心感と満足感をえる。新生児は明るい光の射す方角に顔を向けることから、明暗を判断する網膜の桿体細胞はすでに機能している。しかし、赤（R）、緑（G）、青（B）を知覚する網膜上の錐体細胞がすべて整い働き出すのは、もう少し後である。色覚に関する視細胞のL錐体、M錐体、S錐体うち、赤に反応するL錐体は生まれてから2ヵ月頃には働き出すが、青に反応するS錐体の働きが整うのは6～8歳ごろである。反対色関係においても赤―緑の機能の方が、青―黄の機能より早い時期に完成する。

人間の色彩感情には、赤や橙などの暖色系の色には暖かさやエネルギーを感じ、青や青紫などの寒色系の色には冷たさやクールなイメージを感じる現象がある。さらに、暖色系の色からは軽さや柔らかさなどの感覚、寒色系の色からは重たさや硬さの感覚を得ている。これら人間の根源的感覚に起因する色彩感情は「普遍的色彩感情」とも呼ばれ、心理学者ユング（C. G. Jung）が「普遍的無意識」と呼ぶ、民族や文化を超えて人類が共通に抱く感情に通ずる。先に紹介した新生児の色知覚において、早い段階で赤のL錐体が機能するのも、「赤」は太陽や炎の色であり、人間が生命を維持する上で必要とされる根源的な色であるからといえる。

幼児の食卓（フランス）

赤ちゃんは「動き」や「音」の出る対象物への反応は早い。回転させて動かすおもちゃや、お母さんが手にもってカタカタ動かすおもちゃなど、動きと音が出る明るい色彩のおもちゃを喜ぶ。幼児期に、衣服や食器など身の回りの育児環境において、鮮やかで美しい色彩に触れる機会が多いと、色彩感覚が豊かになると言われている。

光と物体と眼（網膜）があって初めて人間は「色を知覚」できる。動物においても、昼間活動する動物は色覚の働きがあるが、夜行性の動物や深海に生息する生物には、明暗への反応のみで色覚の無いものが多い。人間は暗闇では物を見ることができない。太陽の光や炎の明るさがあって初めて色知覚が働く。例えば、熟した赤い実を自然の緑の中で発見し易いなど、動物として食物を獲得し生命を維持するため、人類は色による識別力を発達させてきた。正常な視覚を持つ人間で約200万〜

赤い果実や野菜

750万の色を感知し得ると言われている。新生児における色知覚の成長過程は、生物の進化の過程と深くかかわっている。

日本でカラーテレビが開始されたのは、1960年である。それまでの白黒画面では、制作者も視聴者も色彩を特に意識する必要はなかった。カラー放送の始まりと共に、テレビ画面に忠実に色を再現する試みが始まり、「色彩」への関心が多くの領域で高まった。カラーモニターは人間と同様に、RGBと輝度の2対による情報で色画面を再現している。今日のテレビ画面はデジタル化により、さらに豊かで鮮明な色彩の画像を滑らかに映し出す。出演者の肌の状態までリアルに再現されることから、出演者は肌荒れや皺を隠すのに苦労する。昔の白黒テレビや白黒写真の映像では、色彩のリアリティよりも光の明暗で画像が表現されたことから、見る側は白黒のグラデーションで立体的に顔を想像できた。白黒写真で見る方が、女性は美人に見られることが多いのではなかろうか。

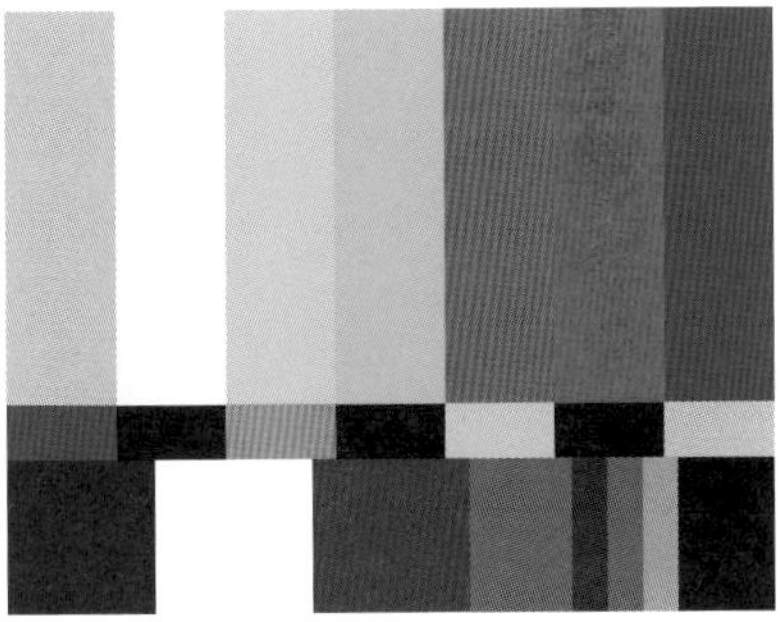
カラーテレビのテストパターン画面

4

白黒の写真

私たちは視覚からの色彩情報と脳の高次な機能と、地域の文化的背景のもとに、多様なイメージを連想して色彩感情を抱く。現代社会では色彩を考慮しない商品開発や情報伝達など考えられない。適切な色彩情報は、商品イメージの向上や流行色の創出など、暮らしに潤いや活気をもたらす。しかしその反面、インターネット上や現実の都市空間においても、色彩の氾濫や乱用を招いている状況も見られる。人間の色彩感情の進化を振り返り、質の高い現代の色彩文化を育みたい。

注1　眼の網膜の視細胞には、桿体と錐体の2種類の光感細胞がある。桿体細胞は光の明暗をとらえ、錐体細胞には、S錐体（青）、M錐体（緑）L錐体（緑）の3種類あり、両者の刺激が連携して脳機能へと伝達される。

色知覚と順応

夏至の時期は日没時間が遅くなり、夜の7時を過ぎても屋外はまだ明るい。夕方に車を運転していると、ヘッドライトを点灯する時間が遅くなる。反対に冬至の頃は日暮れの時間が早くなり、事故を未然に防ぐには交通標語にもあるように、車のヘッドライトの「早めの点灯」が必要になる。人間はロボットではないので、スイッチの切り替え一つで、眼の機能を瞬時に周囲の変化に対応させることは困難である。しかし、人間にはロボット以上に精緻な自律機能が備わっている。今回は日常生活の場面で私たちが光や色を知覚する際、環境の変化に呼応して起こる現象を紹介したい。

私たちには、「順応（じゅんのう）：adaptation」と言う機能が備わっている。「順応」とは、個々の生物の生息環境が短期間で変化する場合、例えば、気温、光、色、音などの変化に対して、生物が極めて短時間で変化に適応しようとする反応である。色知覚においても、「プルキンエ現象：Purkinje phenomenon」、「明順応：light adaptation」、「暗順応：dark adaptation」、「色順応：color adaptation」など、日常生活のさまざまな場面で、変化した環境への順応が行われている。

『色の自然誌』の「色を知覚する」でも説明したが、人間の眼の網膜上には光に反応する桿体細胞と、赤・緑・青（R・G・B）の色に反応する錐体細胞が存在し、それらの視細胞の刺激が大脳に伝わり色の知覚がなされる。しかし、桿体と錐体では、光の波長に対する感度が異なる。昼間の明るい太陽光の下では、色を知覚する錐体細胞が働くことから、赤色は青色より誘目性が高く、周囲の環境のなかではっきりと見える。しかし、夕暮や暗闇など十分な明るさが得られない環境では、短波長側に感度が高い桿体細胞が働くことから、赤色より青色が見えやすくなる（図1）。この現象を発見者の名前

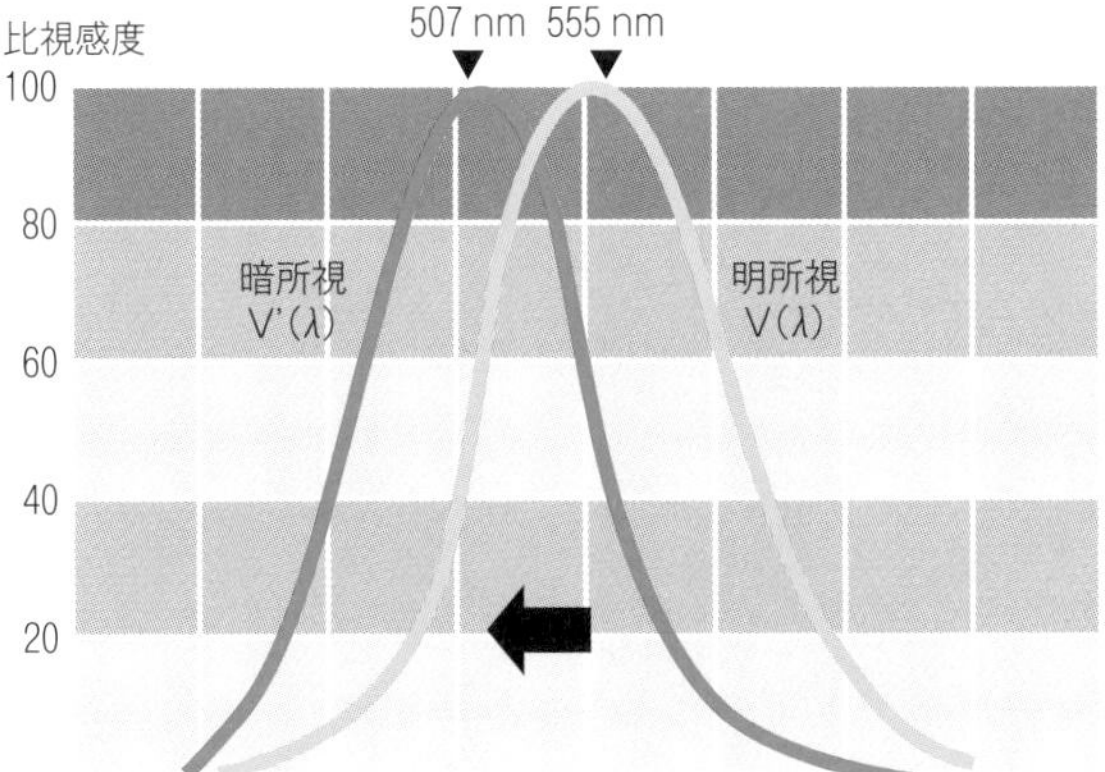

図1：錐体から桿体へ移行する明るさに対する視細胞の感度
明所視の分光視感効率／**暗所視**の分光視感効率

から「プルキンエ現象」と呼ぶ。交通標識には赤色と青色の使用が多いが、夕暮れの薄明視[注1]の時間帯には、青色より赤色の標識が認識しづらくなるので注意が必要だ（写真1・2）。交通標語にある「早めの点灯」は、ヘッドライトを点灯することで、ドライバーに十分な明るさの確保を促すためである。夜間には明度や彩度の高い白系の衣服の着用や、車のライトが当たると光る素材を身につける方が、ドライバーに存在をアピールでき交通事故を未然に防げる。

人間の色知覚には、周辺環境の変化に順応しようと、人間の意志とは無関係に常に調整作用が働く自律機能が存在する。明るい部屋から暗い部屋へと急激に環境が変化する場合、一時は視界が真っ暗とな

写真1：午前11時頃の交通標識
赤色がはっきり見える

写真2：午後6時頃の交通標識
赤色より青色が目立つ

り何も見えなくなるが、約15分から30分程で目がなれるのが「暗順応」である。反対に暗い場所から明るい場所へと移動した時にも、眩しさから一瞬視力を失うが数分以内で回復するのが「明順応」である。眼の網膜の視細胞には光を吸収する視物質[注2]が存在する。しかし、各視物質の光受容の感度や分解・再生の速度が異なることから、暗闇に慣れる「暗順応」の方が「明順応」より長い時間を必要とする。「暗い部屋に入るときには、事前に目をつぶっておくと目が暗闇に早くなれるよ。」と、小さい頃に母親に言われたが、暗闇への暗順応が緩和されるように思えた。以前見た映画の場面で悪役のボスが、暗い部屋で強い光を自分の背後から照射して訪問客と会う場面があった。暗順応と明順応の眼の調整作用を利用して、眼が慣れるまでの相手側の隙を狙う策略だったのだろう。

色知覚の調整機能の一つに「色順応」がある。白い紙を白熱灯で照明された部屋で見ると、最初はオレンジ色っぽく見えるが、徐々に白い紙に見えてくる。これが「色順応」で、眼の感度を調整して色を恒常的に保とうとする働きである。色つきサングラスをかけると当初は視野に違和感があるが、時間がたつとサングラスの色を意識しなくなるのも「色順応」の働きである。一方、長時間にわたり同じ色を見続けると、眼が色の刺激に慣れ色知覚の感度が低下し、最初に感じた現実の色との間に大きな誤差が生じる場合がある（図2）。色を扱う専門家は、眼を度々休ませて色順応を避ける配慮が必要である。

人間が光や色を知覚する仕組みは複雑である。暮らしの場面で私たちは、周囲の環境変化に呼応した色知覚への順応の調整作用を、無意識のうちに常に受けているのである。

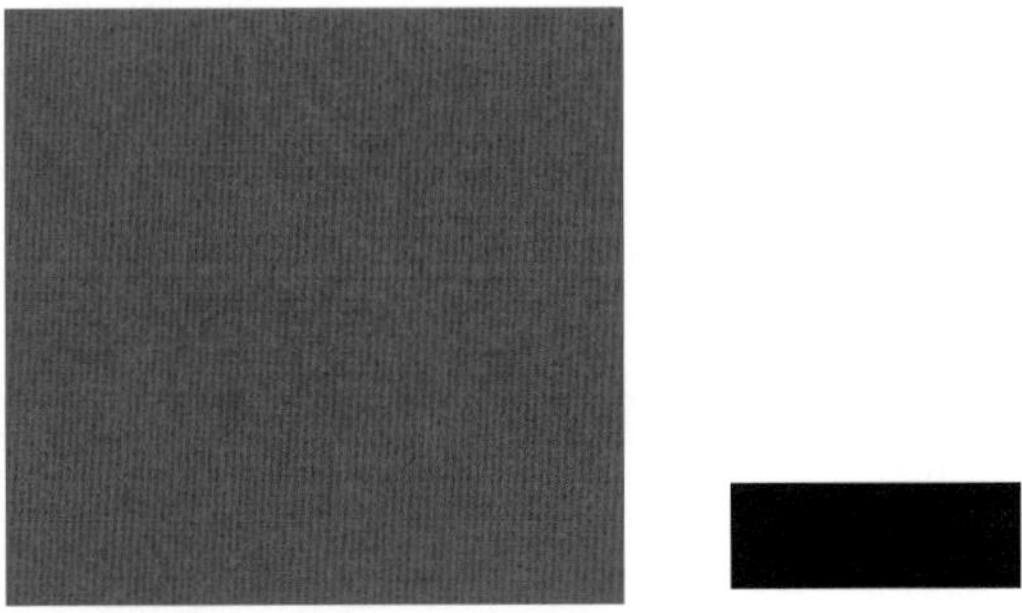

図２：色順応
上記の赤い四角の上に、黒い小紙片を置いて１分間凝視した後、紙片を取り除くと、紙片のあった部分と、周囲の赤色部分とが異なって見える。

注1　薄明視：明るさに反応する網膜の視細胞の内、桿体のみが働く暗所視と錐体のみが働く明所視の各明るさレベルの中間の明るさレベルを薄明視という。

注2　視物質：光エネルギーと反応を起こす網膜の桿体細胞と錐体細胞にある物質

色を聴く

私たちは五感を通してさまざまな情報を得ている。五感とは触覚、味覚、嗅覚、視覚、聴覚などの諸感覚で、手、口、鼻、眼、耳などの各受容器官に与えられた刺激が、各感覚系統に伝わり知覚される。視覚であれば眼で受容された対象物の光の刺激が情報として脳に伝わり、色や形などが認識できる。聴覚の場合も同様で、耳で受容された音波の刺激は音として反応する。このように各感覚器官が物理的刺激を受けて直接反応するのが「一次感覚」である。

しかし、ある受容器官が外から刺激をうけた時、本来その刺激に対応すべき感覚系統ではない感覚が反応する「二次感覚」の現象が存在する。それを「共感覚：synesthesia」と言う。例えば、耳から受容された「音の刺激」で「色が見える」現象などは、「色聴：colored hearing」（図1）と呼ばれる共感覚の一つである。色聴は感覚が未発達の幼児や一部の大人にも起こる現象である。このような厳密な定義の共感覚とは多少異なるが、色の知覚と連動して他の感覚器官が反応する類似の現象は一般の人々にも起こり得る。「色彩の共感覚効果：synaesthesia of color」と呼ばれ、さまざまなデザイン分野や創作活動の場においても応用されている。

音楽を色や形と関連づける試みは、古くから多くの研究者や芸術家によって行われていた。ニュートンは光のスペクトル（分光）を7色の音階に見立てて表現している。『色彩用語事典』（日本色彩学会編集）によると、16世紀初頭には鍵盤を打つと音と共に色光が投影される色彩ピアノが考案されたとの記述がある。また、詩人のアルチュール・ランボーは、彼の詩『母音：Voyelles』において、『A（ア）は黒、E（ウ）は白、I（イ）は赤、U（ユ）緑、O（オ）青よ、母

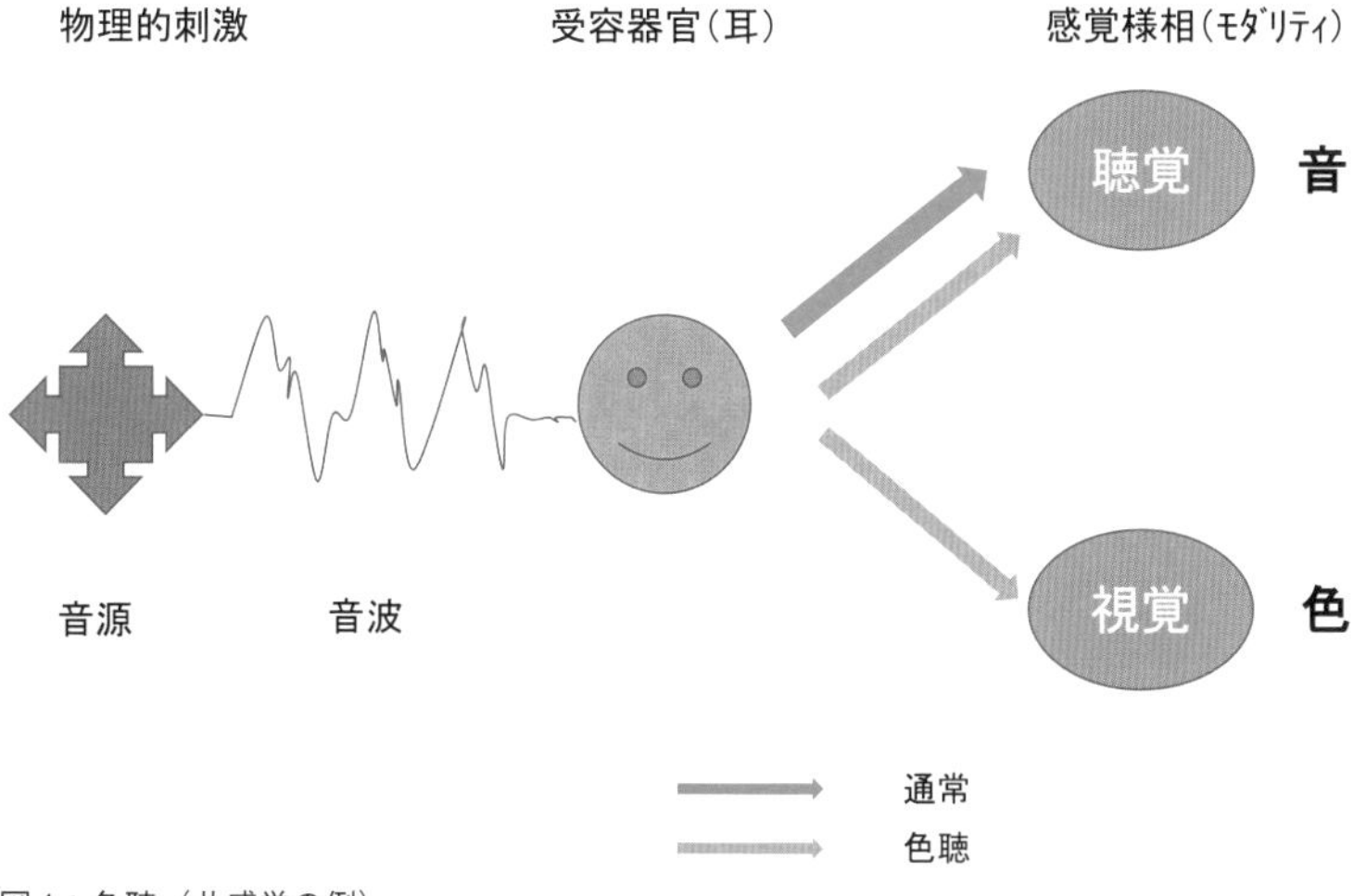

図1：色聴（共感覚の例）

音らよ、何時の日かわれ語らばや、人知れぬ君らが生い立ちを…』と、フランス語の母音（カッコ内はフランス語の発音）と色彩を対応させて表現している。また、画家のカンディンスキー（V. Kandinsky）は、色彩から連想される音楽的なリズム、ハーモニーなどを、黄色は遠心運動、青色は求心運動、赤色は安定、水平線は黒色か青色、垂直線は白色か黄色、斜線は灰色か赤色とし、さらに、色と形を結びつけた連想から、三角形は黄色、正方形は赤色、円は青色の性格をもっていると解釈し、色彩と形を組み合わせて作品制作に臨んだとされる。

小学校の低学年の頃、引っ越し先の近所に楽器メーカーが主催するピアノ教室があり習い始めた。ドレミの音階が読めない私に渡されたのは、ピアノ鍵盤の絵と音階を色で描いた教習本である。うろ覚えではあるが、ドは赤で親指、レは菫色で人差し指、ミは黄色で中指というように、ドレミの音階を色で表現していた。これは共感覚ではないが、音と色を結びつけて音階と鍵盤の位置を子供に教える方法が印象的であった。先日、1999年生まれのピアニスト牛田智大さんの独奏を聴いた。誰もが知っている「トロイメライ」や「乙女の祈り」などの曲

A アは黒
E ウは白
I イは赤
U ユは緑
O オは青

ランボーによる母音と色彩（フランス語の母音）

が、素直で丁寧な優しい音色で演奏されるのを聞き、「セピア色」の子供の頃の思い出が蘇ったが、共感覚的イメージ効果とでもいえようか。

色彩の共感覚的効果について他の事例を幾つか挙げると、暖色系の赤色や橙色などの色を見ると暖かさや柔らかさを感じ、青色や青紫色などの寒色系の色からは冷たさや堅さを感じるなどの感覚は、視覚を通した色の刺激が触覚による人間の皮膚感覚に反応する共感覚的効果である。また、高齢者に人気の赤色の下着は、赤色系の刺激がアドレナリンの分泌を促し、循環器系に作用して血行をよくするとされ、緑色系は自律神経や脳下垂体に作用し、ストレス解消や安らぎを与えると言われている。さらに、明度・彩度の低い黒褐色に近い色は重さや鈍さを感じ、明度・彩度の高い明るく淡い色調の色は軽さや爽やかさを感じる現象は、視覚による色の刺激で他の感覚系統が反応する共感覚的効果といえる。

・暖色系の色

・重い・鈍い感覚の色

・寒色系の色

・軽い・爽やかな感覚の色

何かを知覚する現象は、外界からの刺激で様々な受容器官で生じる感覚情報を、自身に蓄積された経験を基に再び蘇らせることであろう。例えば、嗅覚の匂い情報は、過去の記憶を思い出すきっかけとなるが、認知症患者には嗅覚の衰えがみられると言う。また、本は黙読するのでは無く、声に出して読み耳で聴くことで、多様な受容器官が働き認知症対策にもなると言われる。諸受容器官への刺激が及ぼす生理的作用と心理的効果、他領域の知覚感情との共感覚的効果などは、知覚心理学や認知科学などの分野で研究されている。

これからは人間の五感による共感覚的効果が見逃せない。多感覚刺激による脳の活性化の時代である。

①～③・⑤・⑥　著者撮影

3・色の錯視

色で隠す・色で目立つ

色はさまざまな働き方をする。自然界における動物や植物の種の保存では、周囲の自然環境の中に「保護色」として姿を馴染ませ、自身の姿を見えなくする生物がいる。外敵から身を守るため、あるいは獲物を狙って身を隠すためで、周辺環境と類似の色でカモフラージュする隠蔽工作で、自然界では多く確認される現象である。一方、種の保存からは、求愛や威嚇のための行為もあり、目立つ特徴的な色で周囲に存在をアピールする色の働きや、敵に対して刺激的な色や形で威嚇する色の役割もある。

多くの鳥類の雛は褐色であるが、枯れ草や樹木の幹、河原の小石などの生息環境に溶け込む保護色である。まだ身動きのできない雛を外敵から守り隠蔽する働きをしている。蛾の翅にある点々や縞模様も、周辺に存在する樹木の幹や葉の状態に模様や色を同調させている。アゲハチョウのサナギは、越冬する樹木に合わせて色調が微妙に変化する。海の中でも生物による保護色の働きがある。ヒラメは海底

の砂の色に合わせて模様の濃淡を調整するそうである
　しかし、自分の姿を見ることができない生物が、どの様にして体の色を保護色にすることができるのであろうか。カメレオンやアマガエルなどの保護色は体の色を変えるというより、存在する場所の光の強弱に反応した皮下の色素細胞の変化が、体の色を明るく又は暗くすることから、結果として緑色や黄色に見えるカモフラージュ効果を生み出し、背景の色調に同化する隠蔽色や保護色となるそうである。

　保護色によるカモフラージュは、生物が外敵から身を守る隠蔽手段であるが、見方を変えれば、敵に身を隠して獲物に近づく手段としても好都合である。例えば、カマキリの緑色や褐色の保護色は、カマで獲物を捕らえることができる至近距離まで、獲物への接近を可能にす

色で隠す

る。トラやヒョウの模様は、草原や密林の中に身を隠して獲物を待つとき、外見の濃淡の縞模様が太陽光線の反射で強弱を生じる。明るい色調部分が光を多く反射して、暗い部分の模様が周囲の草木環境に隠蔽される。身動きしない限りトラやヒョウの存在を見えづらくする効果がある。

外敵から身を隠す保護色が果たす役割は重要であるが、一方で、種の保存の観点からすれば、生物の繁殖期には仲間に存在を示すため目立つ色彩でアピールする必要もある。目立つ色調でアピールするのは一般的にはオスが多く、例えば、クジャクやマガモなどの鳥類では、色鮮やかな羽と形状で存在を誇示する事例が多い。

また、異なる種に対して威嚇する必要がある場合では、身体の色模様が身を守る効果を発揮することがある。例えば、毒を有するヘビやクモやケムシなどでは、

色で目立つ

鮮やかな色彩で相手に警告を発している。しかし、毒を持たない種が、毒を持つ種に似た色彩模様をまねて威嚇を表す場合もある。特に、毒があるカエルやヘビやヒトデなどの鮮明な赤系の色は、威嚇や警告を周囲に発する効果があるが、無毒のサンショウウオやイモリなどにも赤系の色を有している個体もいる。赤色の擬態効果で、毒のある存在になりすましているのだろうか。まさに生物の詐欺行為である。

それでは植物の世界では花の色は、どのような意味をもつのであろう。太古の昔は、受粉を風に任せて行う風媒花の植物が多く、花の存在を目立たせる必要はなかった。しかしその後、受粉を昆虫に頼る虫媒花が出現してからは、目立つ色や形の花びらと蜜の存在をアピールして、競って昆虫を花に誘い込んで受粉を促すように植物が変化した。風媒花の目立たない花から、昆虫に受粉を依頼する虫媒花の色と形や蜜で目立つ花へと進化してきた。

自然界の生物におけるこの様な「色の働き」は、人間社会においてもしばしば効果的に活用されている。例えば、戦闘服などに採用されている「迷彩色」は、ジャングルなどの密林の中で身を隠すのに最適な隠蔽効果ある色彩模様である。戦闘服の迷彩色には、背景となる色彩環境に兵士が身を隠せる効果が必要とされるから、ジャングルではグリーン系の色調となり、砂漠地帯では茶系の色調が基準となる。まさにカメレオンやアマガエルなどと類似の隠蔽効果である。

一方、中学や高校の制服、あるいは会社や工場などの作業服などでも、色と形が同じデザインの衣服を着用する。この場合は、組織内部に対しては同属意識や仲間意識を育成し、外部に対しては組織としての一体感と規律を強調している。しかし見方を変えれば、個々の存在は所属する組織のなかに隠蔽される保護色ともなる。

目立つ色を象徴的に使用して、雑多な色が氾濫する都市空間の環境において、警告や注意喚起の強調を図る役割を期待する色使いもある。例えば、「赤色」は禁止や警告や注意を促す目立つ色彩だが、パトカーの点滅灯や消防車、ポストや信号機にも使用されている。毒を持つ生物が赤色で警告を発しているように、街の混沌とした色彩環境のなかで、「赤色」はシンボリックな存在感を発信する効果がある。

迷彩色

私たちの生活環境においては、ひとつの色が単独で存在することは少ない。周辺や背景にも常に色彩が氾濫している。幾つかの色彩が並置されて存在したり、背景（地）と主役（図）の関係で配色される場合も多く、常に周囲の色彩と相互に影響し合っている。自然界の生物による「色の働き」のヒントは、私たちの暮らしの場面における色づかいにおいても「色で隠す・色で目立つ」色彩デザインとして大いに活用できる。

色の錯視

普段、何気なく見ている対象物の色が、実物とは異なる色に見えているとしたら、やはり驚きである。日常生活の場において、私たちはしばしば「見えがかりの色」で、対象物の色彩を認識している現象がある。色は単独で存在することは殆ど無く、幾つかの色が併置されている場合、あるいは、背景や周辺に存在する他の色彩との相互関係において私たちは色を知覚している。さらに、色は形を伴って存在することから、色と形の関係においても相互に影響を及ぼし合っている。そのため条件によっては、実際に存在する対象物の色を人間の側が勝手に補正し、別の「理想的な色」として見てしまうこともある。このような現象が「色の錯視（illusion）」である。対象物を実際に物差しで測定した実物の寸法や、機械測色した色の明るさなど正確な物理的測定の結果と、人間の眼が知覚した対象物の形や色の明るさなどが、異なって知覚される現象である。人間の視神経の色覚ネットワーク間で生じる色の錯視は、知覚心理学的現象のひとつである。今回は「色の錯視」について、具体的現象を幾つか紹介し考えてみたい。

色の配色技法の一つに「グラデーション カラー：gradation color」がある。最も一般的な色彩デザインの表現手法で、色の濃淡を徐々に変化させて全体をまとめる方法である。しかし、色のグラデーションを正確に作成しても、人間の眼には正しく知覚されていない（図1）。グラデーションを構成する各色紙は全面同色であるのだが、各色紙の辺縁をよく見ると微妙に明るさが異なる部分が存在する。これは「辺縁対比」または「縁辺対比」と呼ばれる現象で、各色紙は両隣に存在する色の明るさの影響を受け、暗い色に隣接する側は明るく、明るい色に隣接する側は暗く見える。2枚の色片を対比したことから、2色の境界部分をはっきりと認識させようと、人間の眼の視神経が勝手に補正して境界部分の濃淡を強調して見せているからである。また、色のグラデーションがある大小の正方形を、小さい正方形から大きい正方形へと同じ間隔で重ねると、正方形の対角線上に実際には存在しない明るく輝く対角線が知覚できる（図2）。正方形の辺の交点

図1：グラデーションⅠ

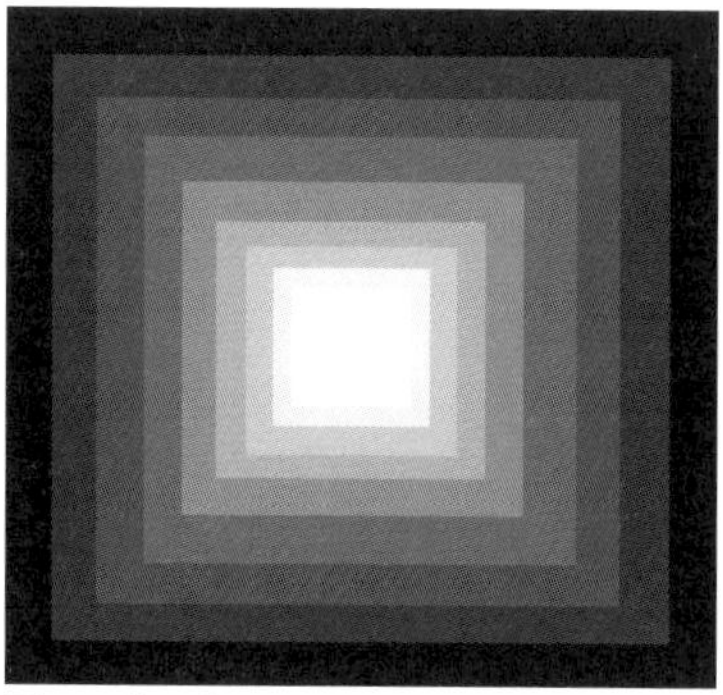
図2：グラデーションⅡ

である対角線部分で、視神経の明るさへの刺激が強められる縁辺対比の事例である。私たちの色知覚では視る対象を認識しやすくするために、境界部分を強調するように色の明暗が自然に調整されて物を見ていることになる。

「透明視」と称する見え方がある。パラフィン紙や薄紙を透かして背後の色を見る行為は、日常的によく体験することである。薄紙が重なる部分は、相互の色紙を混色した色で見えてくる。しかし、実際に色紙を重ねなくとも、色紙を重ね合わせたような透視感ある状況を作りだすことができる。「透明視」(図3)の図は、十字形に2枚の色紙を重ね合わせたのではなく、下部にある5枚の色紙を十字形になるように組み合わせて、透視感ある重なり部分を作

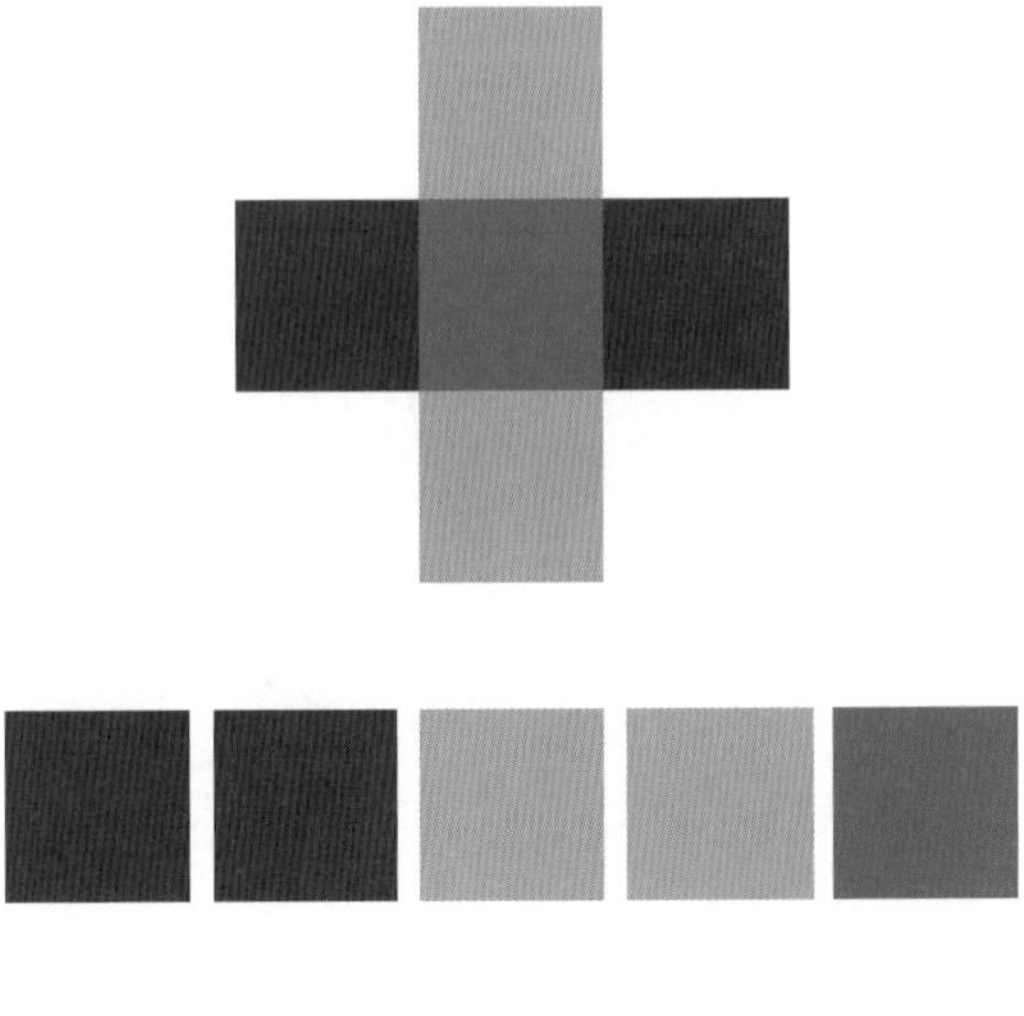

図3：透明視

り出している。本来は5枚の紙片で構成された図にすぎない。「人間は単純で規則的な見方を好む」という視知覚の原則がある。5ピースの色紙で構成された図形と見るより、十字形という図形パターンの見方が優勢に働き、重なり部分は透明視として認識されたのである。ドイツのゲシュタルト心理学による「人間には物事を把握する際に個々の要素の寄せ集めではなく、全体的な関連性とまとまりを持って把握する知覚現象がある」とする考え方にあてはまる。

1960年代前後に起こったオプティカル・アート[注1]運動は、眼の錯視によるさまざまな知覚心理学の現象を活用した芸術分野の創作活動である。たとえば、赤色と緑色は補色対比であるから、色みの違いである色相の差は明解である。しかし、赤色と緑色の関係には、明るさの違いである明度差はほとんどない。一般的に明度差がない色彩関係の場合、地

図4：補色対比：ハレーションと呼ばれる現象が、赤と緑の境界部分で起こる。

と図の関係がはっきりせず、文字や形の境界線があいまいとなることから、「くらくら」、「ちかちか」、「ギラギラ」などの知覚的現象を生じやすい。この色彩対比の現象を活用したのが、マルセル・デュシャン（M. Duchamp）注2の作品「踊るハート」である。見る人に視覚的な振動を体感させ、生理的反応を直接起こさせた芸術作品である。先に紹介した正方形のグラデーション効果も、芸術家ヴィクトル・ヴァザルリ（V. Vazarely）注3の作品に用いられている。1960年代前後に出現したオプティカル・アートは、人間の眼の網膜の視神経に働きかけ、生理的反応を直接体感させた。

人間はロボットではなく生き物であるから、眼の神経細胞による色覚メカニズムの働きも常に同じではない。色を知覚する光の条件により、また、人間の眼の状態によっても、さらに、見る対象物の形態や周辺環境の違いによっても、色の見え方は

図5：デュシャン風の「踊るハート」

異なってくる。多種多様な条件下でも、色を正確に知覚させようとする人間の精緻な視覚伝達ネットワークの仕組みが、「色の錯視」を起こさせる要因ともなっている。人間の色知覚の不思議とおもしろさである。

注1　オプティカル・アート（Optical Art）：1960年代前後に活動した現代抽象絵画の運動のひとつ。細かい規則的模様や幾何学的パターンで構成された絵画で、眼の視知覚効果を利用して直接的に人間の生理的反応を狙ったもの。眼の網膜組織に働きかける。

注2　マルセル・デュシャン（1887―1968）：それまでの既存の絵画の常識を変え、現代芸術のあらゆる原型を創出した芸術家。自身の作品について、「視覚的網膜的な絵画」と自ら語っている。

注3　ヴィクトル・ヴァザルリ（1906―1997）：ハンガリー出身の画家。ドイツのバウハウス運動の機能主義とロシアの構成主義の影響を受ける。眼の錯視の現象を活用した幾何学的パターンの抽象画を多く作成した。

記憶色

身の回りの様々な物の色を、私たちは視覚を通して知覚している。野菜・果物類や食品などは、名前を言えばそれまでの体験から、色を思いうかべることができる。「バナナ」は黄色、「トマト」は赤色、「ブロッコリー」は緑色など、すぐに各食品の色が思い出される。このように対象物ごとに記憶されている色のことを、「記憶色（memory color）」という。

それでは、さまざまな食品について記憶された色を色見本から選んでもらい、現実の食品の色と比べてみるとどうだろう。多くの場合、同じではない。私たちの記憶にある色は、対象物の実際の色と比べると、より鮮やかでより明るい色で脳に記憶されている場合が多い。対象物の本

12

当の色は、私たちが思っている記憶色より、くすんだ色調で明度も彩度も低いことが多い（図1）。過去の思い出が美化されて記憶されているように、人々に馴染みのある対象物の色も、記憶に残る「記憶色」は、明るく美しい色彩で残されるようである。

そのような人々の記憶色への期待を満足させるために存在する手段が、着色料などの食品添加物である。本来なら新鮮で自然のままの状態の方が、食品としては安全である。しかし、自然のままの無着色の本来の食品の色では、私たちが期待する記憶色と合致しない。新鮮で美味しそうな食品と認識されないのである。そこで記憶色と一致するように赤色や黄色の着色料で調整し、私たちが望む本物らしく見える色へと演出する必要が出てくる。本来、新鮮で安全・安心な食品を望むことが多い消

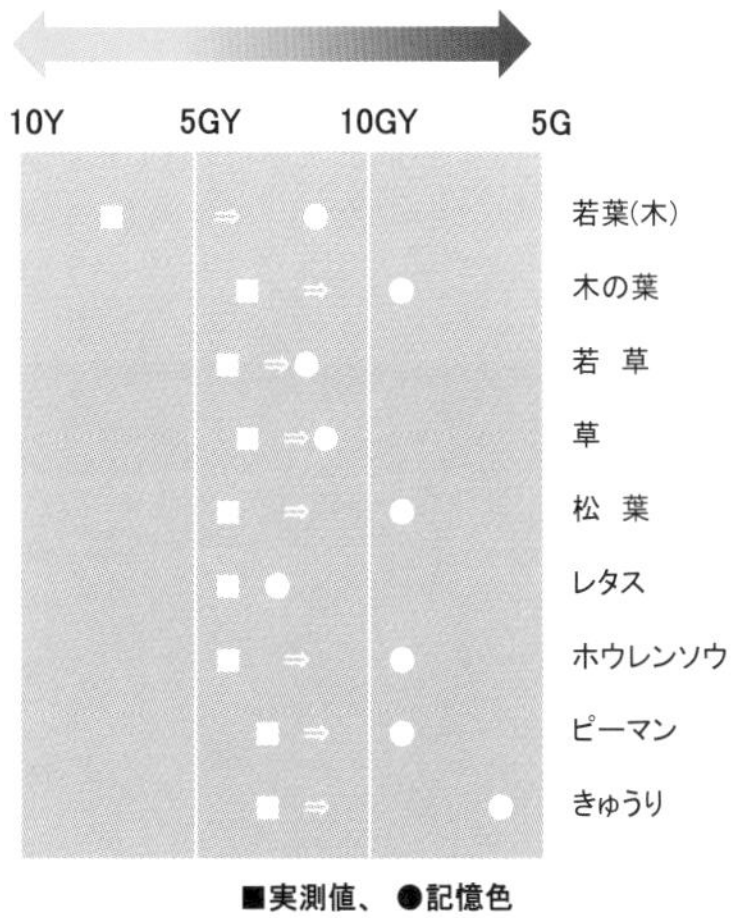

図1：実際の色から記憶色への変遷

費者としては、矛盾する行動である。

例えば、たらこや福神漬けなどの赤色系の食品やたくわん（沢庵）やきんとんなどの黄色系の食品などには着色料が使用され、より人間の記憶色に近い色へと調整されている。昨今は自然系の害の少ない着色料が使用される場合が多いが、以前は有害物質を含む着色料もあった。着色してない自然色のままのたらこやたくあんでは、人々の購買欲や食欲を刺激しない。

また、野菜や果物、生鮮食品を写真や映像などで視覚的に再現する場合でも、「本物の色」ではなく、人々が期待するイメージに近い「本物らしく見える色」で再現しなければ、消費者の賛同を得られない。この「本物らしく見える色」の根拠に「記憶色」の存在がある。スーパーマーケットやデパートの宣伝広告には、新鮮で美味しそうな食品類の写真が掲載されている。消費者はそれらの宣伝広告を見て、新鮮さや美味しさに刺激され買い物に出かける。この場合も、人々の記憶色を頼りに宣伝用の広告写真の色を調整することが大事となる。

13

正月のおせち料理には、色鮮やかな料理が美しく飾られている。紅白のかまぼこや鳴ると、赤い伊勢エビやいくら、黄色の栗きんとんや伊達巻き卵、紅白のなますなど、引き立て役の緑色の野菜が添えられて、黒色や朱色の重箱に美しく並べられる。おせち料理を見ると、日本の食文化の色彩へのこだわりと繊細な美意識を感じる。しかし、豊かな色使いの背景には、人間の記憶色に合致するよう着色された食品と、色の配色技法の見本のような色使いで、料理相互の色を引き立てあいながら、「記憶色」を満足させる見た目の美しさが演出されている。

昨今のインスタグラム[注]によるスマートフォンの画面には、目立つ色使いの食べ物や街の広告・看板の派手な色づかいが紹介されている。デジタル画面の色は、画面背後の発光体が発色するR・G・B（赤・緑・青）の「光の色」である。「光の色」とは簡単に説明すると、内部から光を発する内照広告塔と類似の原理で色を見てることになる。明るく派手な色光の画面の方が見栄えがいいし、人目を引いて人々の関心を集め

14

やすい。光の色は、パソコンやテレビ、スマートフォンなどの限定されたデジタル画面上の色であるから、電源を切ればすべて見えなくなる。派手で目立つ見栄えの良い色彩であっても、飽きればすぐに消すことができる。

しかし、私たちが日常的に見ている現実の物品や都市空間などの色は、太陽光線が物体に当たって反射した光を、人間の眼が受光して知覚された「物体の色」である。現実世界の建物や土木施設等の「物体の色」が派手な色づかいの場合、周辺環境の変化により物体の色が陳腐な存在になっても、すぐに消去することは不可能である。騒色といわれる雑多な色彩環境の都市景観を招くことになる。

インスタグラムで映し出される派手な色の画面を見ていると、まるで人工着色料を多用した食材のようである。実像と虚像が混在するインターネットの「光の色」の世界は、人間の「記憶色」で具現化された色彩空間のように思えてくる。「光の色」と「物体の色」の根本的

内照式のステンドグラスの展示

属性の違いを知ることは、色を考える上で重要である。

注　インスタグラム（instagram）：facebookやツイッターなどのSNSを利用した、スマートフォンなどの写真共有アプリ。

①～⑨　「北の農村フォトコンテスト」入賞作品
（一社）北海道土地改良設計技術協会

⑩～⑮　著者撮影

「色彩」メモ❷ 色の三属性

光が物体に反射し人間が眼の網膜を通して得た色知覚が「物体色」です。物体色の色彩を表現する記号が、**色相・明度・彩度**の**「色の三属性」**です。

- **色相（Hue）**：「色相」は、赤・緑・青などの色みを表現します。虹（スペクトル）の変化に合わせて色相を連続して並べ循環させて円にしたのが「色相環」です。
- **明度（Value）**：色の明るさが「明度」です。明度を表すスケール（ものさし）は、白（理想の白10）と黒（理想の黒0）を両極にして、中間にある灰色の明るさを段階的に変化させ設定して「明度」を表示します。無彩色の段階的な明るさの表現です。
- **彩度（Chroma）**：「彩度」は、「色の鮮やかさ」または「色のくすみ」を表現します。赤・緑・青などの純色の色相に、明度の同じ「灰色」の分量を段階的に変えて加えると、鮮やかさが段階的に変化する色が表現されます。これが「彩度」です。

＊白色・灰色・黒色の**「無彩色」**には、「明度」のみで色相は存在しません。
赤色・緑色・青色などの**「有彩色」**には、「色相」と「明度」が存在します。

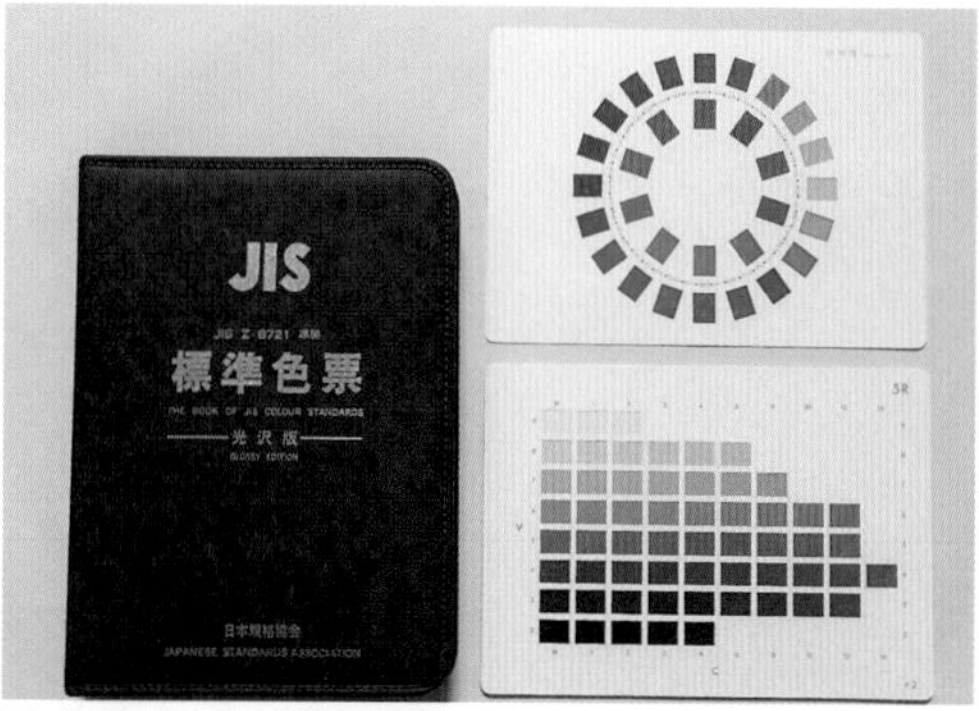

「色相環チャート」と色相別の「明度・彩度チャート」
（「JIS Z 8721」の標準色票より）

4 • 色と文化

色の象徴的イメージ（その1）：緑と赤

「ハレの場」である祭事では、日常の暮らしのなかに非日常の象徴的空間をさまざまな形で演出する。その際、特に色の象徴的イメージを活用して、人々に多種多様な感情を想起させる場合が多い。

私たちは日頃、色からさまざまなメッセージを得ている。色から連想される象徴的イメージを通して、人々は具体的感情を抱き場面を想定する。それらメッセージとは、人間の根源的な色彩感情であったり、また、自然環境や風土と共に各時代の社会的・文化的背景から想起される色彩感情であったり、さらには、個人的体験や価値観にもとづく色彩感情である。しかし多くの場合、同じ色が良い・悪いの両義的意味を有する場合も多々あり、色の象徴的意味は背後に存在する文化的・社会的文脈を抜きにしては語れない。今回は、年中行事や歳時記に見る、歴史的・文化的起源に由来する「色の象徴的イメージ」を取上げたい。

年末・年始は1年の中でも特に重要な祭事が集中し、色が象徴するイメージを再認識する場面が多い。例えば、クリスマスの雰囲気は、クリスマスツリーやサンタクロスの具体像がなくても、緑、赤、金、白の色彩が持つシンボル的イメージを活用すれば演出できる。同様に日本の正月も、緑・朱赤・金・白の色彩構成で、正月のおめでたい雰囲気を創ることができる。緑・赤・金・白の色の象徴的イメージに呼応して、人々が保有するクリスマスや正月の色の情景が思い起こされる。地域や民族が長い間継承してきたクリスマスや正月の生活習慣や伝統文化の存在が背景にあるからである。

「緑」は永遠の生命の持続や希望を表し、クリスマスには常緑樹の濃い緑色（フォレストグリーン）が使われる。ヨーロッパではツリーにトウヒが、アメリカではモミノキが一般的に用いられる。ヨーロッパ各地の神話やケルト文化[注1]では、寄生植物のヤドリギが聖なる木とされ、冬枯れの森でも緑色を保つ生命力と、鳥の介在で木々に新たな芽吹きをもたらす生命の持続力が尊ばれた。特に樫木（オーク）に寄生したヤドリギは神聖化され、黄金の半月鎌で刈ったヤドリギを白い布に収めて神々に捧げたり、クリスマスにヤドリギの枝を吊るす古来の風習も見られる。

中世のキリスト教は緑を希望の色や楽園の色として、十字架や聖杯を緑色で描いた宗教画もある。さらに緑色でもエメラルドグリーンは『緑の力』と称して、太陽光に育まれた草木の緑に通じる象徴的イメージが、人間の病気や精神的疾患への特効薬とされた。フランスの薬局では緑十字の看板を掲げているが、由来の一つであろうか。日本では正月に門松を飾るが、常緑樹の松や杉の濃い緑色は常盤色（ときわいろ）とよばれ、松の葉の色を表わす松葉色（まつばいろ）や千歳緑（ちとせみどり）と共に、永遠不変のめでたい色として正月や祝事に用いられる。

「赤」は火や血を連想させ生命の息吹を象徴する色である。特にヒイラギは、クリスマスの時期に赤い実をつけ血を連想させ、棘のある葉がキリストの茨の冠を象徴することからクリスマスに用いられる。日本の「赤」は「明け」や「明かし」を語源とするが、赤を表わす色名には紅色（べに

薬局の緑十字（フランス）

いろ）、紅緋（べにひ）、朱色（しゅいろ）、茜色（あかねいろ）、曙色（あけぼのいろ）、東雲色（しののめいろ）などがある。植物や自然現象など「赤」の語源の違いから、赤の色みも微妙に異なり多様な色名表現が存在する。正月には、元旦の朝日を象徴する曙色や東雲色のような赤の色名が相応しい。

特に「朱色」または「丹色（にいろ）」は、古来より権威を象徴する色として、宮廷の朱雀門や神社の建物や鳥居に使用された。京都の伏見稲荷大社は朱色の鳥居が林立する参道で有名だが、境内に至る朱色のアプローチは、参拝者を異次元に導く素晴らしい象徴的空間を演出している。朱色は硫化水銀を原料とする顔料から生成されるが、木材に塗る防腐剤の役目も果している。また、習字の朱墨や印鑑に使用する朱肉には、厄除けの意味もある。鳥居には願い事が「通る」「通った」際のお礼の

4

6

伏見稲荷大社の鳥居（京都）

5

意味があるそうで、鳥居を奉納する習慣は江戸時代から始まった。神社の朱色の鳥居は、権威と厄除けのシンボル性と防腐剤の機能性とが融合する存在である。

身の回りの「色の象徴的イメージ」に気づき、社会的・文化的背景に呼応した色の象徴的イメージを知ることは、たいへん興味深く楽しい。

注1　ケルト文化：今日でも、イギリスのウエールズやスコットランド地域、及びフランスのブルターニュ地方などでは、ケルト系民族の伝統文化が継承されている。ケルト民族の神話は、幾百年も経て口承伝説として書き留められた。

色の象徴的イメージ（その2）：青と黄

色の象徴的イメージは、同じ色でも良い・悪いの両義的意味を有する場合が多く、また、各時代で異なる文化的・社会的文脈を抜きに語ることはできないと前回述べた。

今回は「青と黄」の象徴的イメージを取り上げたい。晴天の「青い空」は、心身ともに爽やかな気持ちしてくれる。しかし、実際には青色の雲や大気が存在するのではなく、太陽光が成層圏の気体分子にあたると短波長の青い光が散乱する現象が、地球上の人間には青空として見える。

古来より青い空は、神の居る天空を人々にイメージさせた。キリスト教の聖母マリアの衣服は、絵画の中では青色で描かれる場合が多く、青色は遠くにある希望や幸福などの象徴的イメージを想起させた。チルチルとミチルが幸せの青い鳥を求めるM・メーテルリンクの童話『青い鳥』である。色彩心理では青色は人々に好印象を与える色で、清潔、爽快、希望などのプラスイメージが、選挙活動や企業のイメージカラーとして多く採用される。
一方、染色の青には、江戸時代の庶民に普及した藍染やジーンズのインディゴ（インド藍）が存在する。藍染めはさまざまな繊維に染色可能で、『青は藍より出でて藍より青し』の如く色が退色しにくい。日本や欧米など多くの国々で労働者の仕事着に、藍染めが使用された所以である。フランスの作業着を意味するブルータブリエや、労働者階級を意味するブルーカラーなど、青は労働を象徴するイメージ色でもある。

紀元前に中国で生まれた陰陽五行説[注1]は、木・火・水・金・土の五行の盛衰が、宇宙（自然）と人間（人生）を支配するとし、色で方位と季節を表わす『五方五色』（図1）の思想であった。例えば、「青」は、東、春、木、仁を象徴し、「青春」や「青年」などの意味もある。「黄」は、中央、四季、土、信を象徴し、皇帝は天地の支配者として「中央」を象徴する黄色の衣装を

7

青い空（北海道）

8

藍染めの暖簾

着用した。仏教、儒教、ヒンズー教などで黄色は高貴な位を意味する色である。

しかし欧米諸国では、黄色は青色に比べて負の象徴的イメージを連想させる場合が多い。例えばキリスト教では、キリストを裏切ったユダの衣服の色とされ、黄色は、「裏切り」、「偽善」、「偽物」など、負のイメージである。さらに欧米人のアジア人に対する「黄禍論：YellowPeril[注2]」は、黄色人種に対する人種的偏見でもあった。

このように西欧では負のイメージが強い黄色だが、ヨーロッパ諸国では黄色の郵便ポストをよく見かける。「何故、ヨーロッパ諸国では、黄色の郵便ポストが多いのであろうか。」と、素朴な疑問が常にあった。『世界の郵便ポスト』による

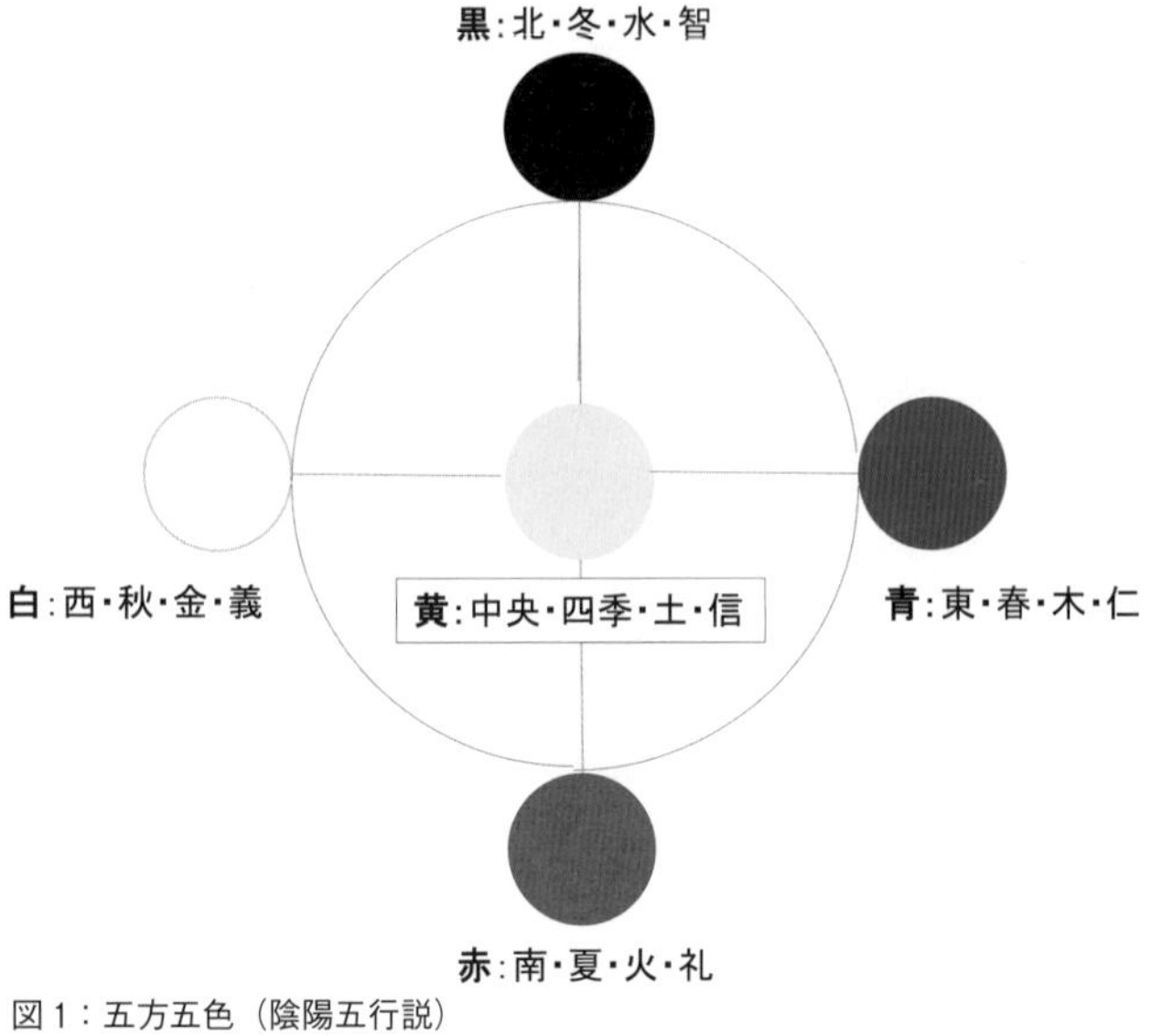

図1：五方五色（陰陽五行説）

と、例えば、フランス、スペイン、オーストリア、オランダ、ドイツ、ルクセンブルグ、スイス、イラン、イラク、トルコ、ブルガリア、ウクライナ、スロベニアなど、ヨーロッパ大陸の広範囲の国々が「黄色の郵便ポスト」である。日本の郵便制度は、明治初期に前島密がイギリスの郵便制度を導入したことから、イギリスと同じ赤い郵便ポストが使用されていることは推察できる。

そこで黄色の郵便ポストについて調べると、十五世紀末のハプスブルク王朝時代にまで遡ることがわかった。当時のハプスブルク家には、ヨーロッパの広大な土地と権力を手に入れたい野心があった。皇帝マクシミリアン一世は、各地の領主との情報伝達の手段に、北イタリアで情報伝達の事業をすでに実施していたタクシス家[注3]の情報伝達ノウハウを導入する。その結果、各領地間に目立つ黄色（実際は黄金色）の帝国郵便馬車を走らせ、数十キロごとに配置された宿駅（ポスト：Post）に到着すると、配達人はホルンで知らせた。タクシス家によるヨーロッパの近代郵便事業の始まりである。その当時の領地にあたる地域の主な国々では、国境や宗教の違いに関係なく、今日でも「黄色のポスト」を使用している。さらにドイツやブルガリアなど一部の国々では、ホルンのマークが付く黄色の郵便ポストもある。

十五世紀末の近代郵便制度による情報インフラ網が、インターネット社会の現在のヨーロッパ諸国において、今日もなお「黄色の郵便ポスト」の形で象徴的イメージを提示していることに驚くと共に、時間や空間を超越する「色の象徴的イメージ」の重要性を再認識した。

黄色い郵便ポストと郵便局の車（フランス）

僧侶の黄色い袈裟

注1　陰陽五行説：全ての現象は天地陰陽が作用し、木・火・水・金・土の五行の盛衰循環が宇宙を支配する力とする中国生まれの思想

注2　黄禍論：十九世紀中頃〜二十世紀前半にかけヨーロッパ、北米、オーストラリアの白人社会で起こった黄色人種脅威論。

注3　タクシス家：フランツ・フォン・タクシスによる郵便事業は、ハプスブルク家の勢力拡大に伴い、ヨーロッパの近代郵便制度を確立し、代々タクシス家が郵便事業を引き継いだ。

色の象徴的イメージ（その3）：自然色

日常生活のなかで、私たちは「自然色」あるいは自然に類似した色彩表現をたびたび見聞する。JISの慣用色名やマンセルの標準色票には、「自然色」という名称は存在しないが、自然色の表現からは自ずと色の雰囲気が伝わってくる。人は色から様々なイメージを喚起する。色が持つ人間に及ぼす心理的メッセージである。「自然色」およびそれに類似する色彩表現が登場した時代的背景と、実際の使用事例を振り返りながら、「自然色」が担った象徴的イメージについて考えたい。

自然色に類似する色の表現に、「天然色」がある。昭和初期には、写真も映画もテレビ映像も白黒のモノトーンでしか再現できなかった。その後、ラフではあるが事物の色の再現が可能となり、「天然色」の言葉で表現される。例えば、「天然色映画」、「天然色写真」などで、再現された色彩の質は現在よりかなり劣っていたが、白黒表現よりは眼前に見える事物の色に近づいた。

一般市民が日常的に色彩を意識し始めるのは１９６０年前後からで、東京オリンピックの開催や所得倍増政策などによる高度経済成長の時代である。カラーテレビの普及やカラー印刷の導入など、市民が消費者として色を選択する時代となった。いわゆる服飾やインテリア、自動車や家電などファッション系のデザイン業界は、時代の社会的現象や風潮の変化に敏感である。大なり小なり各時代に呼応した「流行色」を発表している。衣食住に関する事物のデザインは、私たちの暮らしと密接に関係していることから、社会的情勢に呼応した人間の心理的イメージを喚起する色彩が、流行色に反映される。１９６０年代の高度経済成長の時代に流行った「シャーベットトーン[注1]」が良い例で、淡い色彩を意識した商業キャンペーンが、いろいろな領域で総合的に展開し、多くの成功を収めた事例である。

しかしその後、第一次石油ショックや第二次石油ショックによる不況と、都市の公害問題などの出現で日本経済の成長は低迷化し、世間では消費生活の見直しや節約意識が高まる。自然志向への人々の傾倒は、服飾やインテリアなど

シャーベットトーン（類似する色）

衣食住の流行色にも反映され、「ナチュラルカラー」や「アースカラー[注2]」の名称で、自然色に類似する中間色の色彩が流行する。

さらに、1990年代のバブル経済の崩壊による不況と、阪神・淡路大震災の災害やオウム教団によるサリン事件の勃発などが、人々の日常生活に大きな不安要因を提供する。また、地球温暖化現象や自然破壊など地球規模の環境問題が認識され始める。これらの社会現象を踏まえてファッション業界で

アースカラーの集合住宅（東京）

アースカラー（類似する色）

エコロジーカラーの農村景観（北海道）

エコロジーカラー（類似する色）

は、「エコロジーカラー[注3]」の名称で、土・空・海さらに農村空間など豊かな自然をイメージさせる自然色が流行した。

同じ時期1987年に、『札幌自然色：SAPPORO ECO-COLOR』が出版されている。監修は故熊谷直勝先生（当時は北海道教育大学教授）で、札幌の植物（葉、枝、幹、花、実など）、空、雪などの自然の色を、学生達が実際に対象物から彩色した2000点以上の色票から、マンセル標準色票の色表示を参照して144色を選定して、札幌の自然色の色見本を再現した本である。四季折々に変化する札幌の自然の色の素晴らしさ、札幌の都市景観を構成する実際の自然色の一端を色表示から見ることができる。

近年の風潮は、自然色と共に素材（マテリアル）や質感（テクスチャー）も重要視されて、より豊かな自然志向へと向かっている。さらに、流行色より個々の生き方や価値観、生活スタ

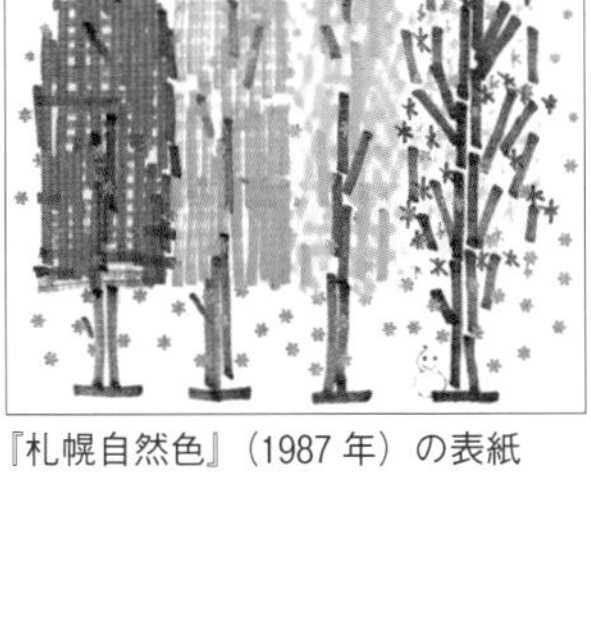

『札幌自然色』（1987年）の表紙

イルなどに相応しい色を選択する動向が、服飾やインテリアのデザインを、自らコーディネートする個性の時代になってきた。

「自然色」は、先の読めない現代社会の象徴的イメージにも符号する色なのだろうか。

注1　シャーベットトーン：冷菓シャーベットのような淡い色調の中間色。1962年に異業種分野が合同で女性向けキャンペーンの色名に使用。衣服だけでなく化粧品、家電メーカー、菓子など、多種多様な分野でキャンペーンカラーとして流行した。

注2　アースカラー：大地や土の色、空や海の色、森や樹木の色をイメージさせる、ベージュからカーキに至る茶系の色と低彩度の色を、アースカラーと名付けて衣食住に係わるデザイン分野で使用。

注3　エコロジーカラー：自然の生態系や身近な自然環境が保有する色。原色ではなく自然の樹木や花や実などを表現する低彩度・低明度で自然に馴染む色調の色イメージ。

南仏プロヴァンスの色

歴史上の一断面は、歳月を経た後にしか見えてこないこともある。現代のようにインターネット等の情報通信網の展開もなく、移動手段も限定された時代においてはなおさらである。南仏プロヴァンスの光と色は、ファン・ゴッホをはじめルノアールやセザンヌなど多くの芸術家たちを引きつけた。1800年代後半から1900年代にかけて南仏プロヴァンスの光と色に生きた人々に触れてみたい。

ニュートンが太陽光をプリズムで分光し、赤色から菫色に至る虹状のスペクトルを発見した十七世紀末の科学的出来事は、芸術表現にも大きな影響を及ぼした。特に印象派の画家達は、アトリエでの制作活動から屋外の自然光の下で風景を描写する創作へと変化する。絵画の創作活動において光のあり方は重要で、一年中陽光が降り注ぐ南フランスでは、光の明暗と光の色を、絵画の題材として如何に表現するかが、各画家たちによって探求された。

オランダ生まれのゴッホも明るい光を求め、プロヴァンス地方のアルルに移り住む。光の色を画布に表現した印象派の画家たちの影響を受け、ゴッホは光の色をうねるような曲線の筆致で描く独自のスタイルを形成する。新印象派のジョルジュ・スーラ、ポール・シニャックらは、太陽光を構成する赤、緑、青、黄などの色を混ぜるのではなく、点描技法により色を画面に点状に併置して描き、色の中間混

プロヴァンスの農村景観

プロヴァンスの村

色や補色対比などの関係で描写した。１８００年代後半から１９００年代にかけ南仏のプロヴァンス地方は、ゴッホやセザンヌ、スーラやシニャックら画家達の絵画制作の場であった。南仏の光と色の追求が芸術家の創作力を高めたともいえる。

ヨーロッパの南部に位置するプロヴァンス地方だが、札幌とプロヴァンス地方のマルセイユは同じ北緯43度である。フランスのパリは北緯49度、オランダは北緯52度から53度に位置し北海道よりずっと北である。札幌と南仏[注1]の年間の平均気温は札幌が約８・９℃で南仏は15・２℃、年間降水量は札幌が１１０６・５㎜に対し南仏は５２１・９㎜である。南仏は札幌より気温は高いが降水量は札幌の約半分で乾燥した気候である。地上には同じ北緯43度の太陽光が降り注ぐから、光による色の見え方は同じはずである。しかし実際には、南仏より湿度が高い北海道では大気中に気体分子が多く、太陽光が散乱して南仏より青空が少し白味を帯びて見える。南仏の強い日射しは日影を薄紫色に映しだすが、北海道でも冬の晴天の日の雪原に、薄紫色の影を見ることがある。

『昆虫記』で有名なアンリ・ファーブルは１８２３年に南フランスの山間部にある小村サン・レオンで生まれた。前述の画家達と同時期にプロヴァンス地方で生涯の大半を過ごしている。昆虫記にはトネリコゼミやヤマゼミが出てくるが、プロヴァンスの風景を力強い曲線と色彩で描くゴッホの絵からは、南仏の力強いセミの鳴き声が聞こえるように感じる。プロヴァンス地方でセミは幸運のシンボルである。ファーブルは『昆虫記』を晩年に執筆している。アヴィニョンの高校教師であった1853年頃は家族を養うために日々の生活に追われ、昆虫研究どころではなかった。大学教授になり研究に専念することを希望したが、当時の大学教授の報酬は少なく、財産を有する家柄が優遇される名誉職であった。そこでファーブルは一攫千金を夢見て、当時は高価な染料であったセイヨウアカネの研究に没頭する。元々、アヴィニョンはアカネ染めが盛んな街であった。アカネの根を砕き純度の高いアリザリン[注2]の抽出が鍵となる研究である。当時ヨーロッパでは赤色や紫色は、高価で希少な染料であった。赤色や赤紫色の染料の発見で、巨万の富を夢見る錬金術師達もいた。1866年にファーブルはアカネから赤色の色素抽出に成功する。しかし時すでに遅く、ドイツでは合成染料による染色が始まり、高価で手間を要するアカネ染料による赤色は導入されず、アヴィニョンの染色産業も廃れる。

16
セミのついたポプリ袋

しかしながら、合成染料の発見がチューブ入り絵の具の開発に結びつき、それまで室内で絵画を描いていた印象派の画家達に、屋外の自然光の下での制作活動を可能にした。けれどもまた、当時の合成染料の絵の具は耐光性に弱く、短期間で赤色が青色系に変色するなどの問題もあった。ゴッホやセザンヌらの絵画でも、外部に露出した部分と額縁で隠れた部分では色みが異なるとの指摘もある。

太陽光を求めて南仏プロヴァンス地方を創作の場とした画家達は、絵画の色材の耐光性においても「光と色」との戦いであった。もし、ゴッホやセザンヌが、ファーブルのアリザリンによる染料の絵の具で描いていたら、彼らの絵画の色彩は今日少し違っていたかもしれない。

17

マティス、シャガールが愛した南仏の村

18

19

注1　『理科年表２０１７』自然科学研究機構国立天文台編　丸善２０１７年に記載の気象庁気象部が掲げる世界の観測地点の南仏Marignaneの観測結果

注2　「アリザリン」はアカネの根に含まれる染色成分、乾燥させすりつぶして使用

伝統色

色を表示するには様々な方法がある。一般的に暮らしの場面で使用する色の表示では、慣習的に使用されてきた古代色名や、桜色や鶯色などの動植物由来の名、空色や土色などの自然現象の色、茜色や藍色などの染料の色、鉛色や金色など鉱物の色のように、具体的名称を冠した色名で表現する場合が多い。具体的事例の言葉による色名は「固有色名」と称されるが、特に日常的に使用され容易に色を連想できる色名を「慣用色名」と呼ぶ。ＪＩＳ（日本工業規格）の慣用色名には、和色名１４７色、外来色名１２２色が選定されている。例えば外来色名では、「レモンイエロー」、「サーモンピンク」など幾つも事例が挙げられる。

色の表示には慣用色名の他にも、色相・明度・彩度の「色の三属性」で表現するマンセル表記や、デジタル作業で使用するＲ・Ｇ・Ｂ（赤・緑・青）の「色光による三原色」の記号表記、さらに、印刷を目的とする塗料の三原色のＣ・Ｍ・Ｙ・Ｋなどが、日常的に使用される色の表示である。しかし、色を扱う画家やデザイナーなどの専門家でない限り、記号による表記では実際の色をイメージしづらいことから、慣用色名の方が一般の人々には分かりやすく馴染みがある。今回は、慣用色名の始まりとも言える日本の「伝統色」を紹介したい。

平安時代までは、中国から仏教とともに伝来した染料や顔料の色名や、原色の名前で色が表現されていた。聖徳太子は『冠位十二階』を制定したが、冠と衣服を同じ色にして身分や地位を表現する手段に色を用いた。最高位を紫（徳）とし、青（仁）、赤（礼）、黄（信）、白（義）の順に位が下がり、最下位は黒（智）である。身分より上の色は『禁色（きんじき）』とされ、使用が禁止される。その後、天皇の変遷に伴い身分や地位を表す色も変化し禁色の色も変わったが、身分や地位に伴う色の使用を制約する考え方は継承される。

平安時代になると、貴族の女性が文化・芸術面で活躍し始める。特に和の美意識が追及され、宮中の女性たちの繊細な感性から日本の様式美が形成され、色彩においても新たな和の色調が生み出された。今日の日本の伝統色には、平安時代に生まれたものが多い。なかでも『かさねの色目』と呼ばれる、季節や行事などにあわせて配色美のセンスを競う試みはおもしろい。平安時代の『かさねの色目』には解釈が幾つかあり、一枚の着物の表地と裏地の配色関係を意味する「重色目（かさねの色目）」と、十二単（じゅうにひとえ）（写真20）のように、小袿（こうちぎ）、表着（うわぎ）、五つ衣（いつつきぬ）など、幾重にも重ねて着る場合の配色をさす「襲色目（かさねの色目）」の意味もある。

天皇の祭服である黄櫨染（こうろぜん）、皇太子の黄丹（おうに）などの色、身分の高い宮廷人が着用する赤や青や紫の濃い色は「禁色」とされ、下位の宮廷人は着用できなかった。このような社会的背景において、『かさねの色目』は、禁

20

色を避けながらも美しい色合いを創り出すための人々の工夫でもあった。当時の布は上質だが薄く、二枚重ねると下部の布の色が透けて見えてくる。そこで、表布の色と裏布の色を重ねて、様々な淡い色合いを作り出した。かさねの色目には200以上の種類があったと言われるが、例えば、最も一般的なのは同系色の濃淡（グラデーション）で重ね着する場合である。補色関係の紫系と黄系や赤系と緑系の組み合わせも存在した。配色の種類には、四季折々の配色や自然現象にちなんだ通年の配色も存在した。各配色には趣ある名称を付けて、多様な色の組み合わせで装いを楽しんだ。趣味の良い配色や重ね着のセンスを評価し合い、まさに現代のカラーコーディネートのようであった。

十二単は、宮廷で天皇や皇后の前に出る場合に着用する女房たちの公式の衣装で、何枚かの着物を重ねて着ることから、衿や袖口、着物の表・裏などに、重ねた着物の色の組み合わせが見える。十二単の上には裳と唐衣を重ね着したが、重ね着は目上の人に対する敬意の表現でもあった。平安時代の伝統色やかさねの色目は、貴族の嗜みである和歌にも詠まれた。「源氏物語」では宮廷人の着用する衣服の色の描写が人物の身分や年齢を表し、その時の心理状態などを物語る伏線としても描かれていたと言われる。

「かさねの色目」は、現在でも結婚式など格式ある儀式で着用する礼装や留袖などの衿に、伊達衿をかさねて着る習慣として残っている。日本の伝統色の配色技法である。

夏

杜若（かきつばた）

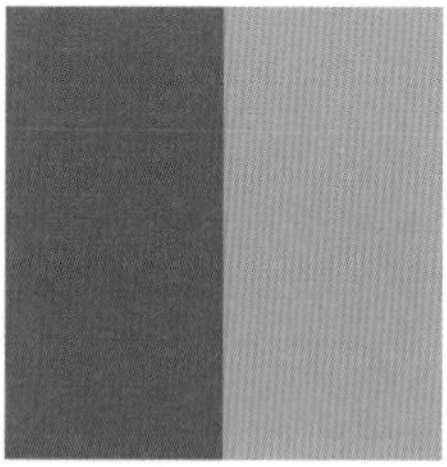

蓬（よもぎ）

冬

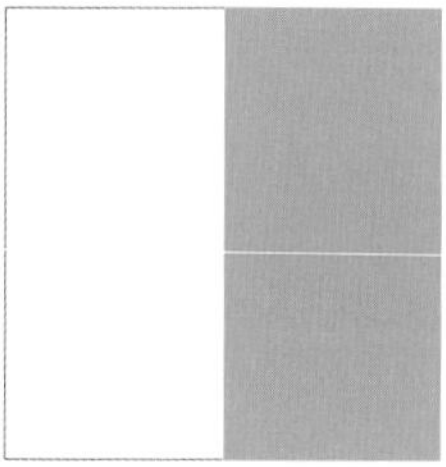

雪の下

氷重（こうりがさね）

＊近似値色で色を再現している。

■かさねの色目（約200種類以上の一部）

春

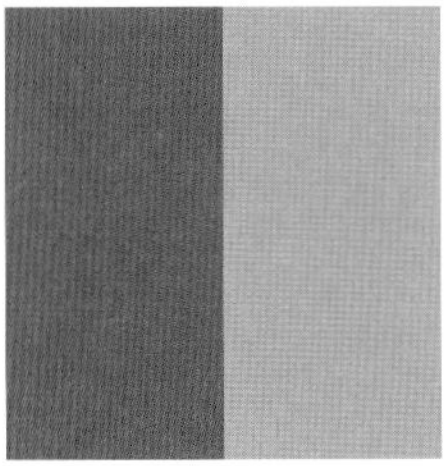

梅重（うめがさね）

藤（ふじ）

秋

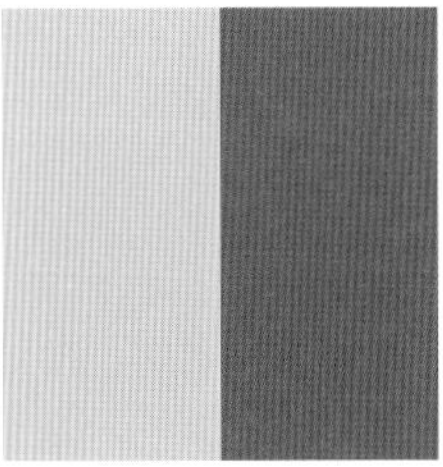

移菊（うつろいぎく）

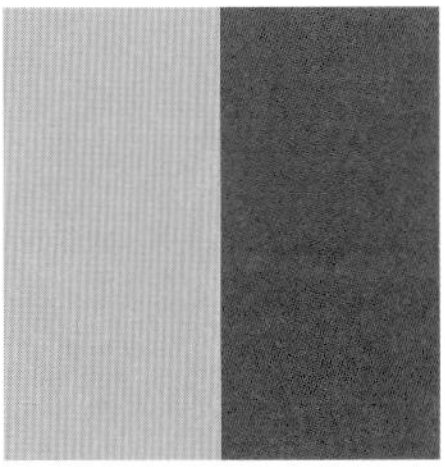

朽葉（くちば）

通年

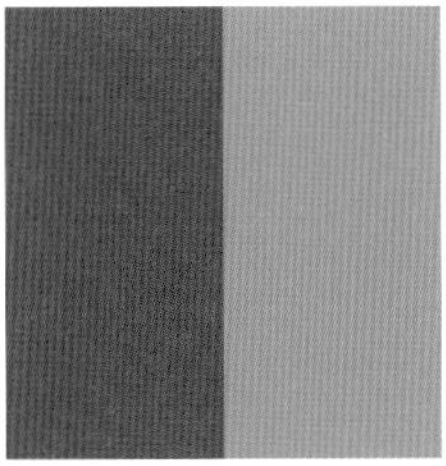

松重（まつがさね）

葡萄（えびぞめ）

トリコロール

「トリコロール」と表現すると、すぐにフランスの国旗が思い浮かぶ。「トリ（tri）」はフランス語で「3」を意味するがラテン語起源の語で、トリコロールは「3色」の意味である。フランスの三色旗は、青が自由、白が平等、赤が博愛を象徴しているとされる。一説には1789年のフランス革命後に、パリ市の紋章の青と赤の色と、ブルボン家の白ユリの白を組み合わせて、青、白、赤の三色旗を登場させたとも言われている。第1次世界大戦当時のフランス軍兵士の軍服は、インディゴブルーの上着とベレー、茜染めの赤いズボンと白いシャツのトリコロールの軍服で、おしゃれで目立つ色調であったが、殺戮の戦時下では血の色が目立たない配慮でもあったと『色彩―色材の文化史―』柏木博監修（創元社）にある。

青、白、赤の3色を国旗の色に持つ国は多いが、各色が象徴する意味合いは異なる。イギリスのユニオンジャックの青、白、赤は、イギリスの正式名称「グレートブリテン&北アイルランド連合王国」が示すように、イングランド、スコットランド、アイルランドの各守護聖人である、聖ジョージの十字架（白地に赤）、聖アンドリューの十字架（青字に白）、聖パトリックの十字架（白地に赤）を合体して創出された。

国旗の色は、自然環境、歴史的価値観、宗教、伝統文化など、各国が有する象徴的概念と国民性が反映されたシンボル的表現である。例えば、アメリカでは、赤は母国のイギリスを象徴し、白は独立を意味する。オランダでは赤は戦争への勇気、白は信仰心、明るい青は忠誠心を意味する。赤・白・青の3色のトリコロールが国々への広がったのは、ヨーロッパ諸国が世界中で勢力を誇っていた時代の名残を示すものである。

自然環境に関する国旗の色では、アイスランド国旗の赤は火山、白が氷河、青が空を象徴する。中南米のチリでは、国旗の赤は独立の流血、白はアンデスの

22
国の機関に設置されているサイン
「自由・平等・博愛」の文字がある

21
フランス革命記念日の7月14日の
凱旋門

雪、青は海を象徴する。また、南半球では白が南十字星を表す国々もある。トリコロールには青、白、赤の色以外の3色の組み合わせも存在する。例えば、イタリアの国旗「赤、白、緑」の3色は、赤は愛国の熱血、緑は美しい国土、白はアルプスの雪と正義、ドイツ国旗「黄（金）、赤、黒」の3色は、赤が自由と熱血、黄が真理、黒が名誉と勤勉など、三色旗が自然環境や国民性を物語る場合もある。

　人間が色を知覚する眼のしくみは、光または物体に反射した光を人間の眼が受光し、網膜の赤・緑・青（R・G・B）の錐体細胞と、明るさの桿体細胞を刺激する第1段階を経て、次の第2段階では「赤―緑」、「青―黄」の反対色の組み合わせと「白―黒」の明・暗の組み合わせから、多様な色の知覚を可能とする（図1）。人間が

■国旗が「赤・白・紺」3色の主な国々
フランス、イギリス、アイスランド、ノルウエー、チェコ、アメリカ、ノルウエー、パナマ、キューバ、チリ、オーストラリア、ニュージーランド、サモア、ラオス、タイ
（明るい青）オランダ、ロシア、ルクセンブルグなど

■国旗が「緑・白・赤」3色の主な国々
イタリア、ブルガリア、ハンガリー、ベラルーシ
マダガスカル、ブルンジ、モルディブ
レバノン、イラン、アルジェリアなど

■国旗が「黒・赤・黄」3色の主な国々
ドイツ、ベルギー、ウガンダなど

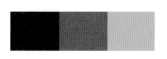

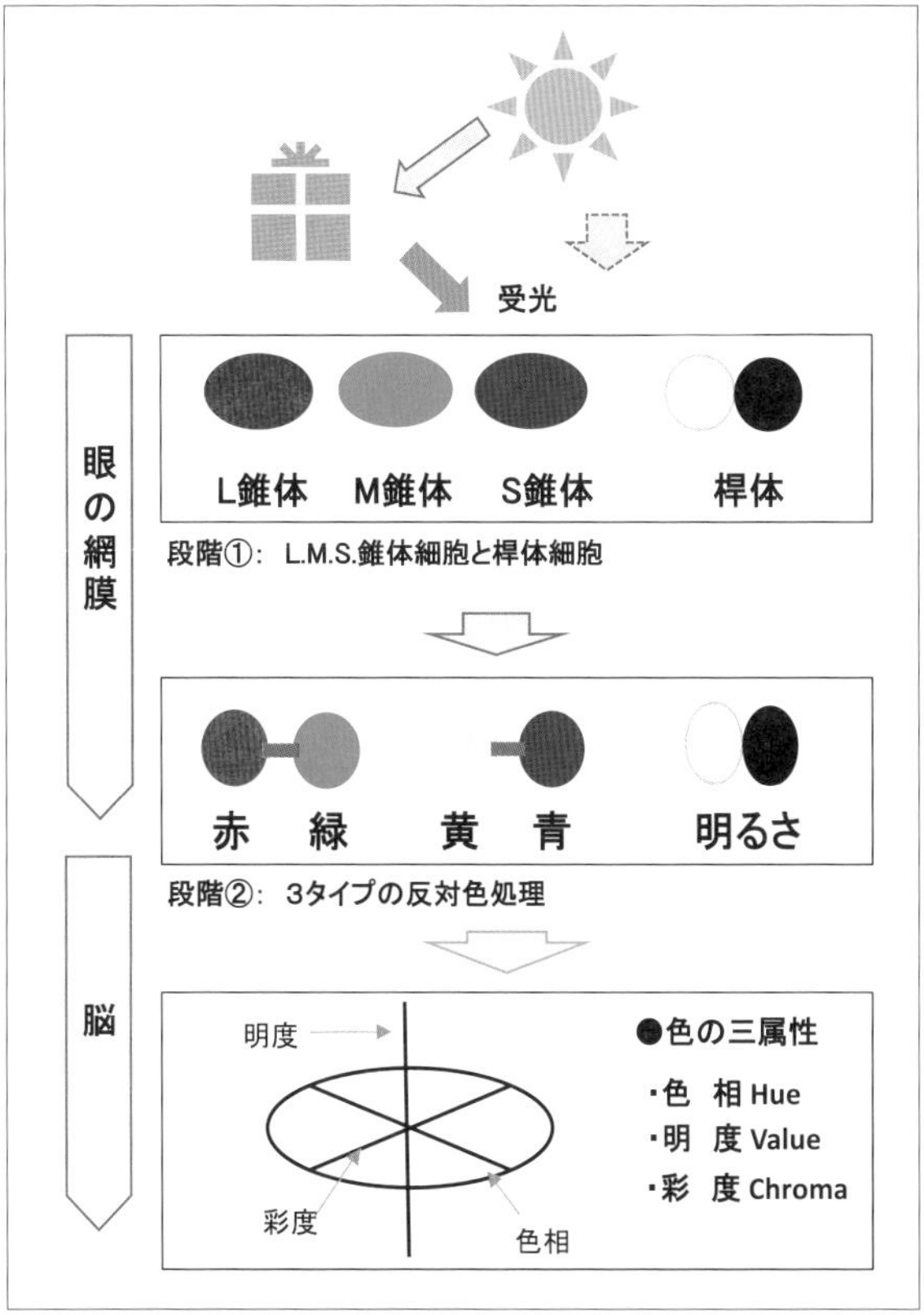

図1：人間が色を知覚するプロセス

色を知覚するこの仕組みを知ると、赤、緑、青、黄、白、黒の基本色に対する人間の色への自然な嗜好性が理解されて、国旗の明瞭な色の選択も納得できる。

人間の色の好き・嫌いに関する「嗜好色」の研究は世界各地で行われてきたが、歴史・文化の違いを超えた人類共通の「色の好みの普遍性」の存在が指摘されている。「好きな色」に関する世界的傾向の一番の色は、常に「青色」である。調査条件や方法により若干の違いはあるものの、「青色」は世界共通で嗜好色のトップに選定される。

イギリス王室の「ロイヤル・ブルー」やフランスの「コルドン・ブルー[注1]」、サッカーの日本チーム「ジャパン・ブルー」など、「ブルー」の活用は、シンボル的に好イメージを提供してくれる。企業のシンボルマークは企業の顔ともいえるデザインであるが、2色または3色のシンプルな配色で、効果的に企業イメージをデザインする。企業ポリシーとなる象徴的意味合いを各色に託して、企業理念をビジュアルに表現する。企業のコーポレートカラーにも、青、赤、緑、黄、白等の色からの選択が多いことは、国旗の色使いと類似している。

現代はパソコンやスマホの画面から多くの情報を得ている。衣食住やファッション関係の製品もネット通販で買う時代である。これからのI・C・T時代には、実際の物の色よりディスプレイ上で映える派手な色使いも予測される。本来、フランス国旗の青色は濃紺で深みある色であるが、明るい青色の方がインターネット上ではインスタ映えしている。多様な象徴的意味を有する国旗の色でさえ、本物の色より仮想空間の色の方が重要になりつつある。

注1　コルドンブルー：フランスの王政時代に最も栄誉ある騎士団のシンボルが「コルドンブルー（青いリボン）」であったことが由来。現代では「青の勲章」としてすぐれた料理や料理人などを示す意味もある。

灰色・鼠色・グレーの魅力

「灰色」と書くと積極的な印象をいだかない。地味で年寄り染みた色でマイナスのイメージである。薪や炭を燃やした後に残る「灰」に由来する名称だから当然である。

しかし「グレー」と表現すると、「ロマンスグレー」や「シルバーグレー」など、人生の年輪や深みを感じさせる好印象を与える。

女流画家マリー・ローランサン[注1]の絵は、グレーを基調として淡いピンクや紫や黄色などで描かれたが、このようにソフトで微妙な中間色の配色を『カマイユ配色[注2]』或いは『フォカマイユ配色[注3]』と称し、以前は上流階級の婦人達に好まれた。フランスではグレーは上品でシックな色とされる。服飾・ファッションやデザイン関係の人々には周知のことであるが、灰色（グレー）は他の様々な色彩と相性が良い。ピンク、赤、青、緑、オレンジ、黄などの色でも、明度（明るさ）と彩度（鮮やかさ）を調整して小面積で使用すれば、灰色はほとんどの色彩と調和する。

M. ローランサン風の配色例

カマイユ配色の例

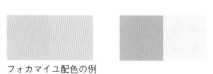

フォカマイユ配色の例

灰色
N5（マンセル値）
R118 G117 B118

鼠色
N5.5（マンセル値）
R147 G147 B148

利休鼠
2.5G 5/1（マンセル値）
R124 G128 B116

＊色見本は近似値色です。

灰色を創るには、白色と黒色だけを混ぜて無彩色（ニュートラル）の濃淡で創る場合と、赤、青、緑、黄など多様な色を混色して創る場合とある。後者の灰色は、赤や青や緑など若干の色みがある灰色となる。日本のJIS慣用色名（JIS－Z8102物体色の色名）では、「灰色（N5）」、「鼠色（N5・5）」の無彩色の灰色が表記されている。

「灰色」の色名は江戸時代以前から使用されていたが、江戸の中頃には「鼠色」と呼ばれるようになる。『火事と喧嘩は江戸の華[注4]』と言われたように、木造家屋が密集する江戸の町では火災が頻繁に起こった。そこで、火事の灰を連想させる「灰色」の表現が庶民の間で敬遠され、「鼠色」の名称が使用されるようになる。また、江戸の町には多数の鼠が生息していたことから、「灰色」を身近な「鼠色」と呼び変えて、「鼠色」を粋な流行色に変換させて江戸の庶民は活用した。

江戸の染色文化には、『四十八茶百鼠（しじゅうはっちゃひゃくねずみ）』の言葉がある。徳川幕府は庶民の贅沢を戒める『奢侈禁止令

鼠（ねずみ）

灰

（しゃしきんしれい）』などの倹約令を度々発布したが、日常生活で庶民が使用する着物や店舗の暖簾などの布の色も、茶、紺、鼠などの色に限定された。おかげで茶色、紺色、鼠色の染色技術が向上し、茶色や紺色や鼠色から派生する様々な中間色が誕生する。多種多様な茶色や鼠色の存在を示すのが『四十八茶百鼠』の由縁である。「四十八」や「百」は「たくさん」を意味する言葉で、実際には数値以上の色数が存在したそうである。

「利休鼠」、「深川鼠」、「梅鼠」などの日本の伝統色名は、「鼠色」に少量の緑や青や赤を加味した鼠色を表す名称である。「利休」は茶人の千利休[注5]に由来しているが、抹茶の渋い黄緑色の色感を表した「利休色」と呼ぶ伝統色も存在した。染色技術の向上で微妙な「鼠色」や「茶色」を多数創り出し、『粋な名称』を付けて生活を楽しむ江戸の庶民文化であった。現行のＪＩＳ慣用色名には「利休鼠（２・５Ｇ５／１）」の色名が存在する。

翻って今日、サラリーマンの背広姿は『どぶ鼠色』と揶揄され、精彩を欠いた集団を象徴している。江戸時代にあった粋な「鼠色」はイメージダウンしてしまった。

一方で「グレー」の名称は、相変わらずプラスイメージで活用されている。例えば、数年前まで老若男女を問わず頭髪を茶や黒に染める傾向にあったが、現在は「グレー・ヘアー」が流行し、自然体で生きる素敵な中高年が演出されている。また、曖昧で保留状態の意味に使う「グレー・ゾーン」の表現もある。「鼠色ヘアー」や「鼠色ゾーン」では、やはり具合が悪い。元々、自然界の鳥や動物の仲間には、幼い時期に灰色や鼠色などで存在を隠ぺいし身を護る生物もいる。「グレー・ヘヤー」や「グレー・ゾーン」の使途も、本来の意に適っている。

同じ色でも呼び方の違いで人々が抱くイメージが異なることから、「灰色」、「鼠色」「グレー」は、グレー・ゾーンにある魅力的な色彩である。

注1　マリー・ローランサン：Marie Laurencin（1883―1956）パリ生まれ。ブラック、アポリネールらと親交。淡い中間色の画風でパリの上流階級の婦人達に人気。

注2　カマイユ配色：カマイユは単色画法のことで、微妙な色使いと淡い濃淡の配色

注3　ファオカマイユ配色：類似の色相と色調の組み合わせ。穏やかな配色の総称。

注4　『火事と喧嘩は江戸の華』：江戸は火事が多く火消しの活躍が目立ち、また、江戸っ子の気質は喧嘩早いなど、どちらも華やかな物見の対象となった。

注5　千利休：（1522―1591）安土桃山時代の茶人、侘茶を追求した。利休好みの渋い緑みの黄色を「利休色」または「利休茶」と言う。

金色と銀色

子供のころ、金色や銀色の入った色鉛筆や折り紙セットを買うと、少しワクワクした気持ちになった。金や銀の輝きが豊かな心持にしてくれるように思えた。

しかし、「金色」も「銀色」も色彩ではない。太陽光の可視光[注1]のスペクトルには金色も銀色も存在しない。金も銀も化学元素で、元素記号が金は「Au」で銀は「Ag」となる光の反射で輝く金属鉱物である。金も銀も両方とも地球の地殻内における含有率は極めて低い。その希少価値ゆえに、さらに金の黄金色の輝きと銀の白灰色の光沢が、古来より宗教などの信仰的象徴性や王侯貴族の権威的象徴性として、歴史上の様々な場面で利用されてきた。

金と銀の輝きは、西欧でも東洋でも人々の心に至福の恵みを与え、希望と活力を生み出す精神的価値を持っている。王侯貴族の王冠や勲章類、装身具や調度品の品々を始め、フランスのヴェルサイユ宮殿の黄金の間などのように、多様な建造物で取り入れられてきた。宗教建築では薄暗い教会の内部空間を、太陽光や照明の光の下に輝く金や銀の装飾で、人々に神の存在を啓示し威厳を象徴する神聖な空間へと変容させた。日本でも古墳時代より金細工を施した出土品が見られる。中世には金色は仏教と結びつき、仏の色さらには浄土の光として、現世に仏を顕在化させる色となった。奥州藤原氏が建立した平泉中尊寺の金色堂は、極楽浄土のイメージの再現と言われ、当時の粋を尽くした造りである。近世には寺院の金屏風や襖絵な

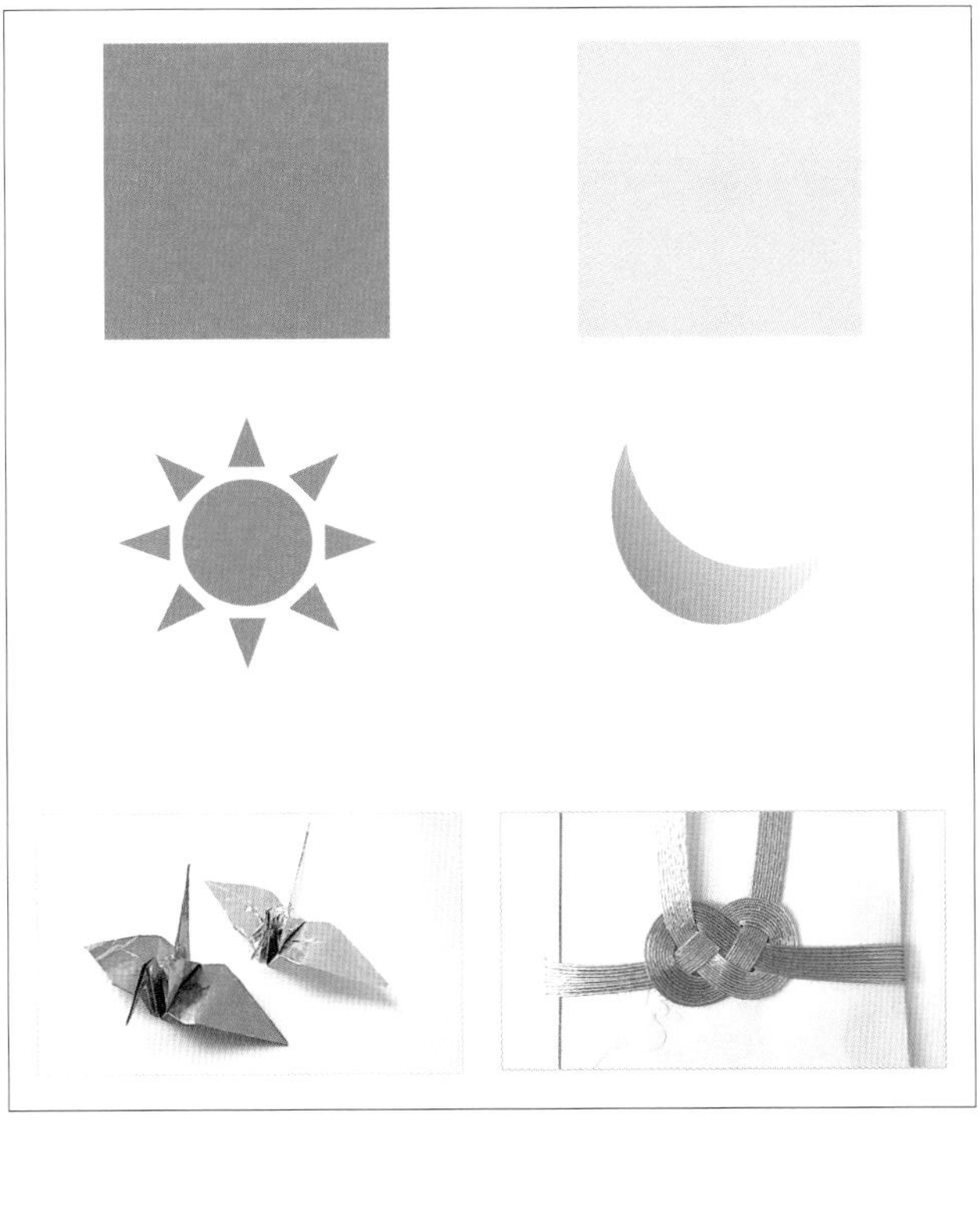

どの仏教美術に、荘厳に光り輝く金色が用いられている。

一方で銀色は、万物を映す霊力を持つとされた鏡と日本古来の神々が結びつき、神霊性ある銀色の光としての象徴性を獲得する。

過日行われた天皇陛下の「即位礼正殿の儀」では、陛下は「黄櫨染御袍（こうろぜんのごほう）」と呼ばれる束帯をお召しになった。太陽の光を象徴的に表した色が「黄櫨染（こうろぜん）」で、平安時代に嵯峨天皇（786〜842）が定めたものとされ、天皇にのみ許される「絶対禁色[注2]」の色である。黄櫨染は褐色に近い黄金色で、光線の違いで色合いが複雑に変化する。櫨（ハゼ）の芯材で下染めし、蘇芳（スオウ）を幾度も重ねて染め上げる奥深い色である。古来より人々は金と銀を「色彩」ではなく「光」として認識し、各々の輝きの違いから陽と陰の象徴的意味合いを持たせた。例えば、黄金色に輝く金には「太陽」を、白灰色に輝く銀には

ヴェルサイユ宮殿

ガウディのサグラダファミリア教会

「月」を重ねて表現した。即位の儀式では宮殿の中庭にのぼり旗が幾本か設置されたが、天皇（太陽）と神（月）を象徴する金色と銀色の円形を刺繍した2本の旗も存在した。

「金と銀」は一対の言葉で用いられることが多い。童話の世界では、「金と銀」を用いて善悪を分かりやすく説く物語がある。金と銀は正直者が最後に得ることのできる輝く財宝で、偽善者は輝かない鉄や石などを得る羽目に陥るお話である。イソップ童話の『金の斧・銀の斧』も、金と銀を題材とした勧善懲悪の物語である。

北海道にはアイヌ民族の間で語り継がれてきた口承伝達の物語を、知里幸恵[注3]がローマ字で書き取りまとめた『アイヌ神謡集』がある。その中で「梟の神（ふくろうのかみ）が自ら歌った謡『銀の滴（しずく）降る降るまわりに』」の話は、「銀の滴降る降るまわりに、金の滴降る降るまわりに」と梟（ふくろう）の神が歌いながら、村や人間の上を飛ぶ描写が繰り返し出てくる。金持ちの子が射た金の矢ではなく、貧乏人が射た粗末な矢で地上に降りた梟の神の物語で、以前は高い身分で今は貧乏な正直者で礼節を重んじる家族に、梟の神が家や財宝を施して、再びニシパとして平穏なアイヌの村社会を再興させる話である。梟の神はいつも守護していると物語の最後にある。

植物の名称にも「金と銀」は存在する。早春を告げる水仙の花は、白い花びらの中にカップ状の黄色い副花冠を持つが、黄色を金に白色を銀に見立て「金盞銀台（キンサンギンダイ）」の別名で詩歌などに登場する。また、スイカズラ科の低木キンギンボク（金銀木）は花冠が白色から黄色に変化するが、黄色と白色の花が混在する状態を金と銀に見立て「金銀花」とも呼ぶ。北海道では6月頃に見られるそうで、来シーズンの開花が待たれる。

「金色と銀色」は、子供にも大人にも格別の印象を与える象徴的存在である。

注1　可視光（かしこう）：人間が眼で感じることにできる波長約380～780nm（ナノメートル）の範囲の電磁波を可視光と呼ぶ。

注2　絶対禁色（ぜったいきんじき）：禁色は位階により衣服に使用できる色が決められていた。天皇のみが使用できる色を絶対禁色と言う。

注3　知里幸恵（ちりゆきえ）：（1903―1922）　北海道登別出身のアイヌの女性。旭川の女子職業学校を卒業、アイヌ語と日本語を理解する。アイヌ研究者の金田一京助と出会い『アイヌ神謡集』の編纂に従事し、19歳で生涯を閉じる。

①・⑧～⑩・⑫～⑲・㉑～㉒・㉕　著者撮影

⑥　田場一矢氏写真

⑦　「北の農村フォトコンテスト」応募作品
（一社）北海道土地改良設計技術協会

「色彩」メモ❸

色の混色

■混色の種類

- ●**加法混色**
  - **同時加法混色**　：•色光の重ね合わせ
    - ◎**「色光の 3 原色」→ R.G.B.**
  - **中間混色**
    - **併置加法混色**
      - •小さな色点の配列
      - EX. 織物、カラーテレビ
    - **継時加法混色**
      - •高速回転の色
      - EX. 回転混色板、コマ
- ●**減法混色**　：•色フィルターの重ね合わせ
  - •絵具の重ね合わせ
  - ◎**「色料の 3 原色」→ C.M.Y.**

■「加法混色」と「色光の 3 原色」

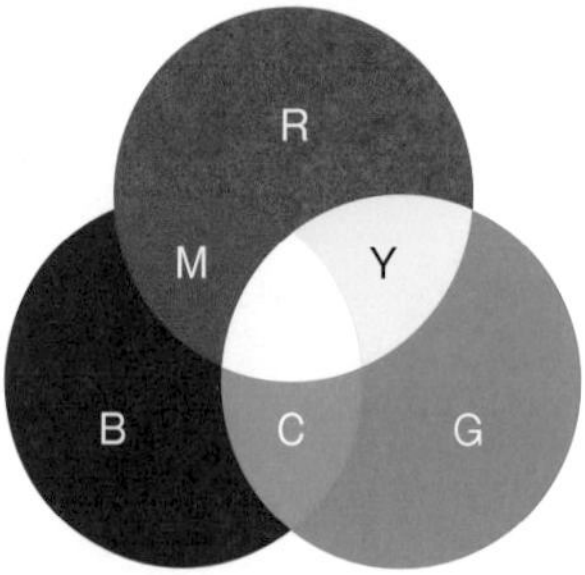

R+G=Y
B+R=M
G+B=C
R+B+G=W（白）

■「減法混色」と「色料の 3 原色」

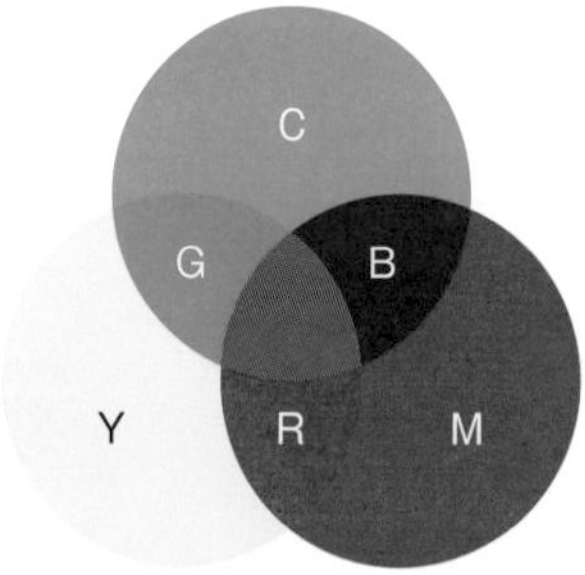

C+M=B
Y+C=G
M+Y=R
C+Y+M=Gy（灰色）

・色光の 3 原色と色料の 3 原色は物理補色の関係にあります

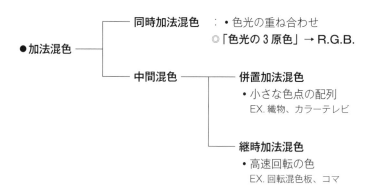

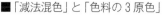

5・色と景観

農の色

地理的条件による立地の違いは、気候や植生の異なる生活文化と風土を形成する。また、太陽光のあり方も多様で、自然が創出する風景の見え方にも影響を及ぼし、地域ごとの色彩景観にも微妙な色の違いをもたらす。

最北端の場所や雨の少ない砂漠などでは、生息できる動植物の種類も限定されることから、風景や自然の色も単調にならざるを得ない。北極や南極の白を基調とする世界、或いは、砂漠と空が地平線まで続く単純化された色の風景など、それぞれに魅力的景観ではあるが、四季の変化に恵まれた国に生きる日本人には、長期間の居住は難しく思える。春夏秋冬の四季の推移が明快な私たちの生活環境においては、季節ごとの色イメージを連想することは比較的容易である。

「立春」から始まる旧暦の二十四節気[注1]の自然感を想像するとき、清少納言の『枕草子』の初段が思い出される。「春は曙、ようよう白くなりゆく、山ぎはすこし明りて、紫だちたる雲のほそくたなびきたる。…」の有名な箇所である。枕草子には色による風景描写がしばしば書かれている。旧暦の立春は、現在の新暦では2月上旬頃にあたる。平安京のあった京都の春の夜明けを描写したものだが、友禅染の淡い中間色のような春の曙の風景が眼に浮かぶ。『牧場の夜明け』（写真1）は、枕草子の風景描写を思わせるような日の出の様子であるが、実は北海道の十勝地方の8月の朝焼けである。

旧暦とは、新月から新月までを一ヶ月とする太陰暦と、地球が太陽を一周する1年を二十四節に分けた節気を合わせ、さらに閏《うるう》月を付加した暦である。人々の暮らしと自然の営みが相互に深く関連しているのが旧暦で、特に、俳句の歳時記や地域の祭り事や行事などでは、今日でも旧暦が重要な役割を担っている。自然と共生する農業の営みでは、旧暦が農作業の目安となる場合も多い。

牧場の夜明け（北海道）

しかしながら、日本の最北端に位置する北海道の農業においては、季節の推移が旧暦と一致しない場合が多い。北海道の農業の営みによる圃場の変化を『北海道の農地景観暦』（図1）という形で、故梅田安治北海道大学名誉教授が図表を作成している。農作物が創出する圃場の色彩カレンダーである。馬鈴薯、甜菜、秋播小麦、豆類、牧草など、代表的な農作物の季節ごとの変化が、農地の色彩景観を形成していることがわかる。春から夏を経て秋に至る北国の季節の推移は短くて早い。4月末から10月頃までの短期間に、作付けから収穫に至るまでの農作業が終了する。北海道の『農地景観暦』には、このような農地景観の色の推移が表現されている。

降雪の厳冬を迎えると、北海道の農地は春の雪解けまで休閑期となる。農地景観の1年の歩みを、『農地景観暦』

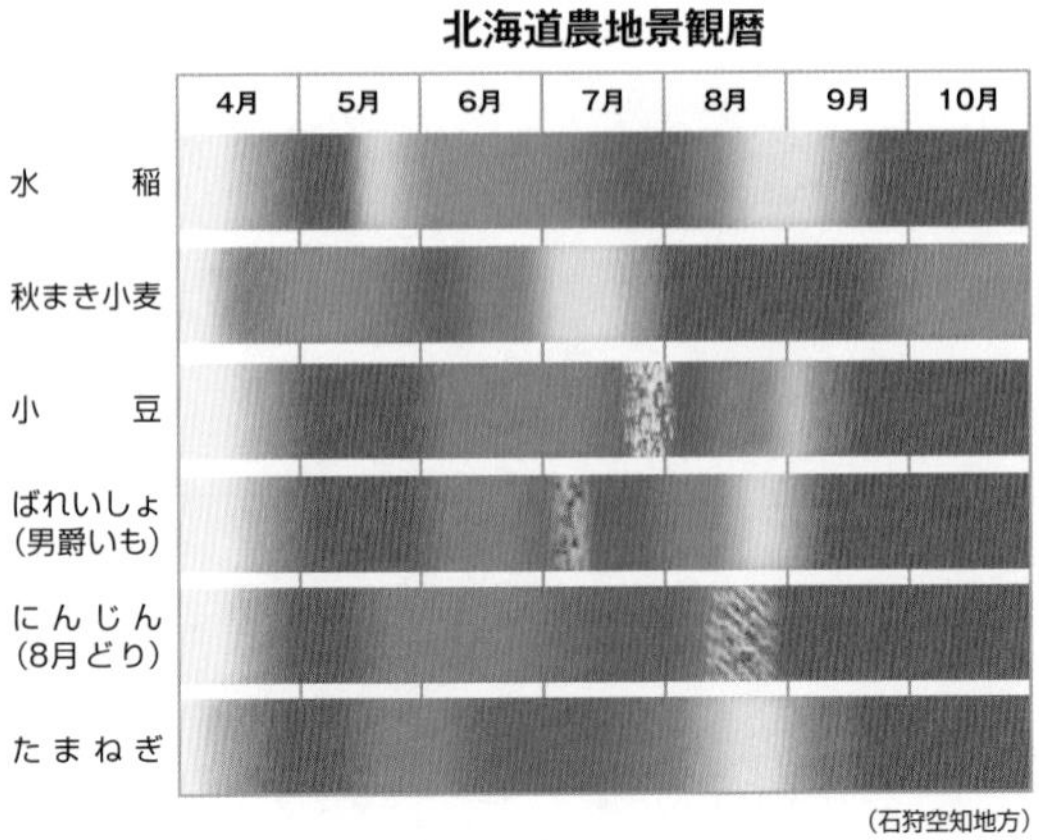

図1：「北海道の農地景観歴」（梅田安治氏）

を参考にして農地の色で振り返ってみるとおもしろい。春先の4月頃には、融雪剤の散布が描く白黒のモノトーンの抽象画のような景観が繰り広げられる（写真2）。土が現れた圃場は、トラクターによる美しい土色の縞模様の耕作地へと変わる。5月には桜の開花と田植えの水田が共存する、北海道ならではの水田景観が出現する。ジャガイモの花が咲く時期は、農作物の花が作り出す白色や紫色の圃場景観が広がる（写真3、4）。道北の幌加内町などでは、8月末から九月上旬にかけて、ソバの白い花畑の景観の広がりが見事である。

収穫を終えた圃場では、キガラシやマリーゴールドなどの緑肥植物が、黄色やオレンジ色の農地景観を展開している。牧草が刈り取られた牧草地には、茶色の牧草ロールや白や黒のラッピングロールが点在する景観が現れる（写真9）。また、豆畑などでは、青色、緑色、オレンジ色などのビニール

3

4

2

農業の営みが形成する農地景観

シートに覆われたニオが点在する収穫の景観を見ることもできる(写真6)。

北海道の圃場の多くは、明治期の区画測設による一辺約540平方メートルの殖民区画[注2]を基盤とし、これを6分割した1区画1万5000坪(五町歩農家)に1戸が入植した歴史を持つ。今日でも殖民区画(写真

5

6

7

8

9 農業の営みが形成する農地景観

2、7、8）をもとに区画割して農作物が植えられる場合が多い。さらに、農地の連作障害注3を防ぐために、十勝地方では小麦、てん菜、豆類、馬鈴薯による4年輪作の作付けが行われているため、同じ圃場でも農地景観が毎年異なって見える。また、広い農地と農作物を、周辺の山々から吹き降ろす強い風や海側からの強風から護るために、防風保安林や防風林の存在が重要となる。この北海道特有のパッチワーク状の農地と、風害から農地を守る防風林帯が形成する北海道らしい農地・農村景観が、道外から訪れる観光客に感動を与えるのである（図2）。

農地・農村景観は、農業従事者がいて初めて形成され持続できる。消費者である都市部の人々には観光や旅行等で北海道に来道してもらい、北海道の農地・農村景観と新鮮で美味しい食材を楽しんでもらいたい。北海道の魅力ある農地・農村景観の持続には、農業従事者の存在が重要であることを周知してもらい、都市部での農産品の消費を促進・拡大することが重要である。北海道農業の応援団を、多方面で増加させる必要がある。

農業の営みと農作物が創出する生成りの農地景観は、北海道の美しい「農の色」であり、「農の文化」として貴重な地域資源である。

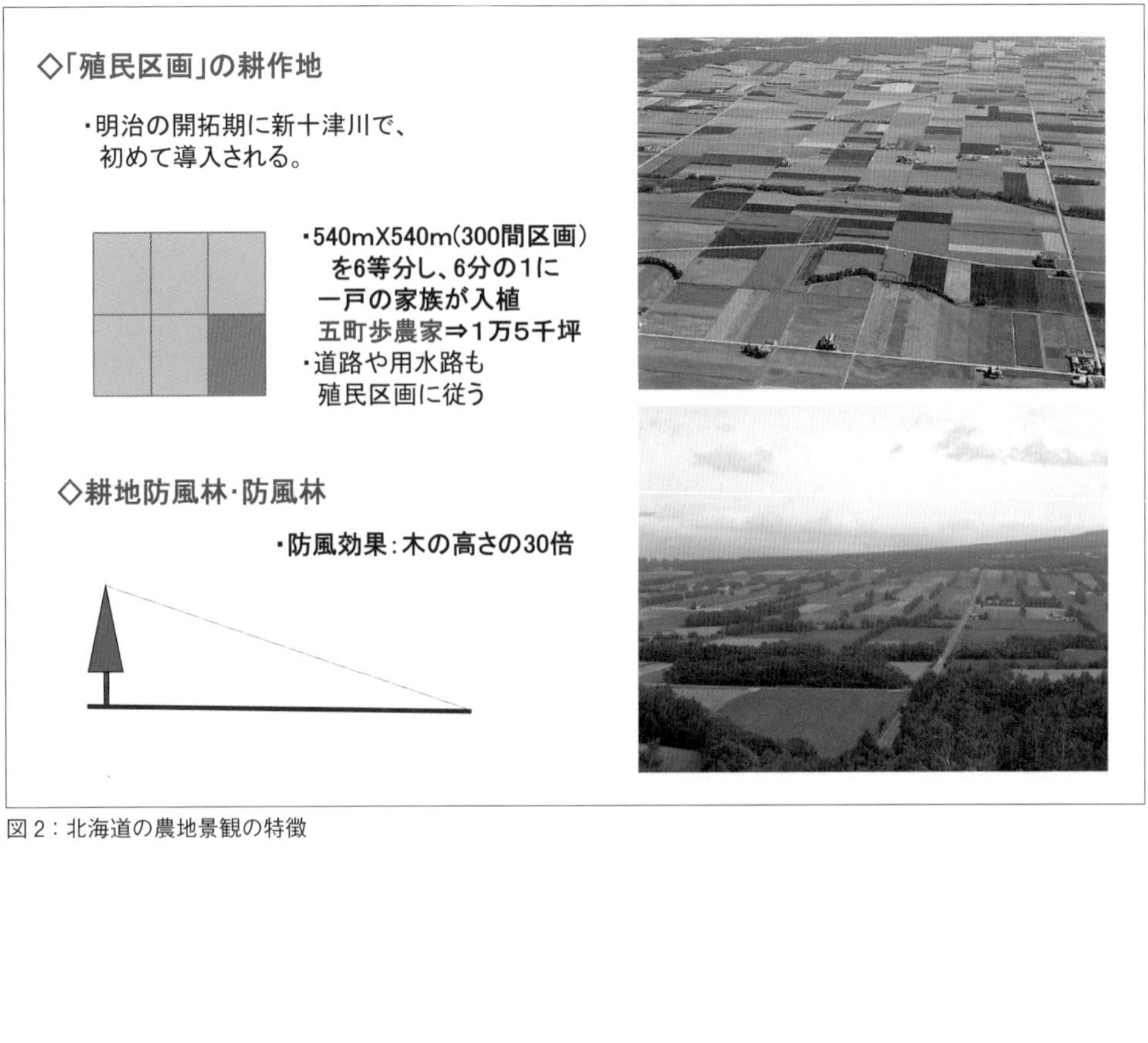
◇「殖民区画」の耕作地
・明治の開拓期に新十津川で、
初めて導入される。
・540mX540m(300間区画)
を6等分し、6分の1に
一戸の家族が入植
五町歩農家⇒1万5千坪
・道路や用水路も
殖民区画に従う
◇耕地防風林・防風林
・防風効果：木の高さの30倍

図 2：北海道の農地景観の特徴

注1　二十四節気：太陽暦の一年を二十四等分した季節。立春、立夏、立秋、立冬が春夏秋冬の始まりで、各季節が6等分され二十四節気となる。春分、夏至、秋分、冬至を「二至二分」と呼び、春夏秋冬の最盛期に位置づけ、大寒をもって一年の季節が終わる。

注2　殖民区画：明治期の北海道開拓に際し採用された直角法による区画割。
1辺約540メートル（300間）の正方形の区画を作成し、これを6等分割して、間口180メートル（100間）で奥行270メートル（150間）の1区画1万5000坪（五町歩）を6区画作成して、各々に1戸が入植した。

注3　連作障害：同じ作物を同じ畑で作付けし続けると、畑の地力が衰退する連作障害がおこる。年ごとに異なる作物に植え替える輪作によって、土壌の養分の偏りを防ぎ、土の肥沃化を図るとともに、土壌病害虫の防除効果も期待できる。

街の色

「地方色」、「郷土色」という言葉を辞書で引くと、「ある地方の自然・風習・人情などが形成する地方特有の趣」などと書かれている。この場合、眼に見える風景だけでなく、地域が歳月をかけて培ってきた伝統文化や生活習慣、地域のコミュニティなども含めた郷土のあり方の総体を指している。日々の暮らしのなかで切磋琢磨され、使い込まれた地域固有の有り様が反映された景観は、揺ぎない郷土の魅力を放ち、旅行者や訪問者に深い感動を与える。英語にもローカルカラー（local color, local colour）の表現が存在するように、地域と住民の暮らしが一体となって形成される郷土色には、その地域独自の色合いが自然とにじみ出てくるのであろう。

若い頃、ヨーロッパ諸国を1ヶ月かけて鉄道で周遊したことがある。フランスのパリを起点にして、ベルギー、オランダを経て、デンマークから列車ごと船に乗り、スウェーデンのストックホルムから再度列車で北上し、ノルウエーのベルゲンでフィヨルドを見る。次は、北ヨーロッパから列車でドイツのフランクフルトとミュヘンを経て、オーストリアのザルツブルグとウイーンに立ち寄り、パリ経由で大西洋側に出て南下する。サンセバスチャンからスペインを横断して地中海側のバルセロナに至り、地中海沿いに南フランスを鉄道で走りイタリアに入国し、ミラノ、フィレンツェを経てヴェネチアまでの旅であった。各国の街には2〜3泊しかできない短期間の周遊旅行であったが、点と点を結ぶ飛行機とは異なり、鉄道の旅は連続して沿線の風景の変化を観察することができ、貴重な体験となった。

国境を越えるたびに、車窓から見える各国の風景の変化に感動したが、風景が形成される背景に

10

11

12

は、目に見えない多種多様な要因が介在することを認識する機会でもあった。街の景観は、自然や地形などの地理的要因はもとより、地域に蓄積された歴史・文化、人々の生活や生産の営みなど、時間をかけて形成される地域の風土と生活文化の具現化である。まさに、郷土色やローカルカラーの国際版であった。

ヨーロッパや日本の古い街並みや集落を遠景から眺めると、「街の色」は自然が形成する風景に馴染んで違和感が無い。地域の伝統的技術と建築素材で建設された民家や集落は、周辺の自然環境と調和する色彩景観を形成していた。伝統的民家の形態は、建設される地域の気候・地形、歴史・文化、産業などと密接に関係しているが、「街の色」に関しても地場産素材の活用で、地域の自然色に相応しい色彩景観を創出している。歴史的建築物の多い街では、建築素材が街の色の基調色となる場合が多く、石造の街、レンガ造の街、木造の街、土と漆喰の街など、それぞれ固有

13

14

の街の色を形成している。

「街の色」は、単に審美的な色彩の美しさのみではなく、その地域の空間的・時間的な観点から多角的に考察する必要がある。街の色には、風土の自然色と建築物の素材色と共に、各時代の流行色や個々人の嗜好色などが凝縮され反映されている。街の景観を構成する諸要素、例えば、橋や道路などの土木施設や建築物の色、街路灯やベンチなどのストリートファニチャ類の色、サインや広告・看板類など情報関係の色、街路樹や花壇の花など植物の色などは、街の景観を形成する主役と脇役の各々の立場から、都市景観を創出している。人間は情報の約70%を視覚から得て

15

16

17

おり、その中でも色は大きな割合を占めている。そのことは景観における色の影響力の大きさを示すとともに、景観形成における色彩誘導の取り組みの難しさも物語っている。

街の景観形成において「街の色」を検討する場合、次の観点から考察することが大事である。①対象物の公的・私的の視点、②存在する時間的経過の長・短、③地域の特性、④規模や面積の大・小、⑤対象物の動・不動の変化などの観点から、地域の気候・風土、歴史・文化が培ってきた景観の文脈に馴染む形で、街の色を検討することが望まれる（図1）。街中における色の機能性や安全性も踏まえた色使いも必要である。単体では美しい色彩であっても、街の総合的景観の中で自己主張が強かったり、反対に目立たない場合もある。具体的には、先に述べた①から⑤の視点と共に、公共的建築物と個人所有の建物の色、建物外観と内部インテリアの色、インフラ整備と祭りやイベントの色、土木施設とストリートファニチャ類の色、サイン標示と広告・看板類の色、樹木と花など、景観を形成する諸要素の相互関係に配慮しつつ、総合的観点から秩序ある街の色を選定することが重要だ。

「街の色」は、郷土色やローカルカラーの基調となる、街の文化的アイデンティティーである。

■ まちの色彩景観を考える

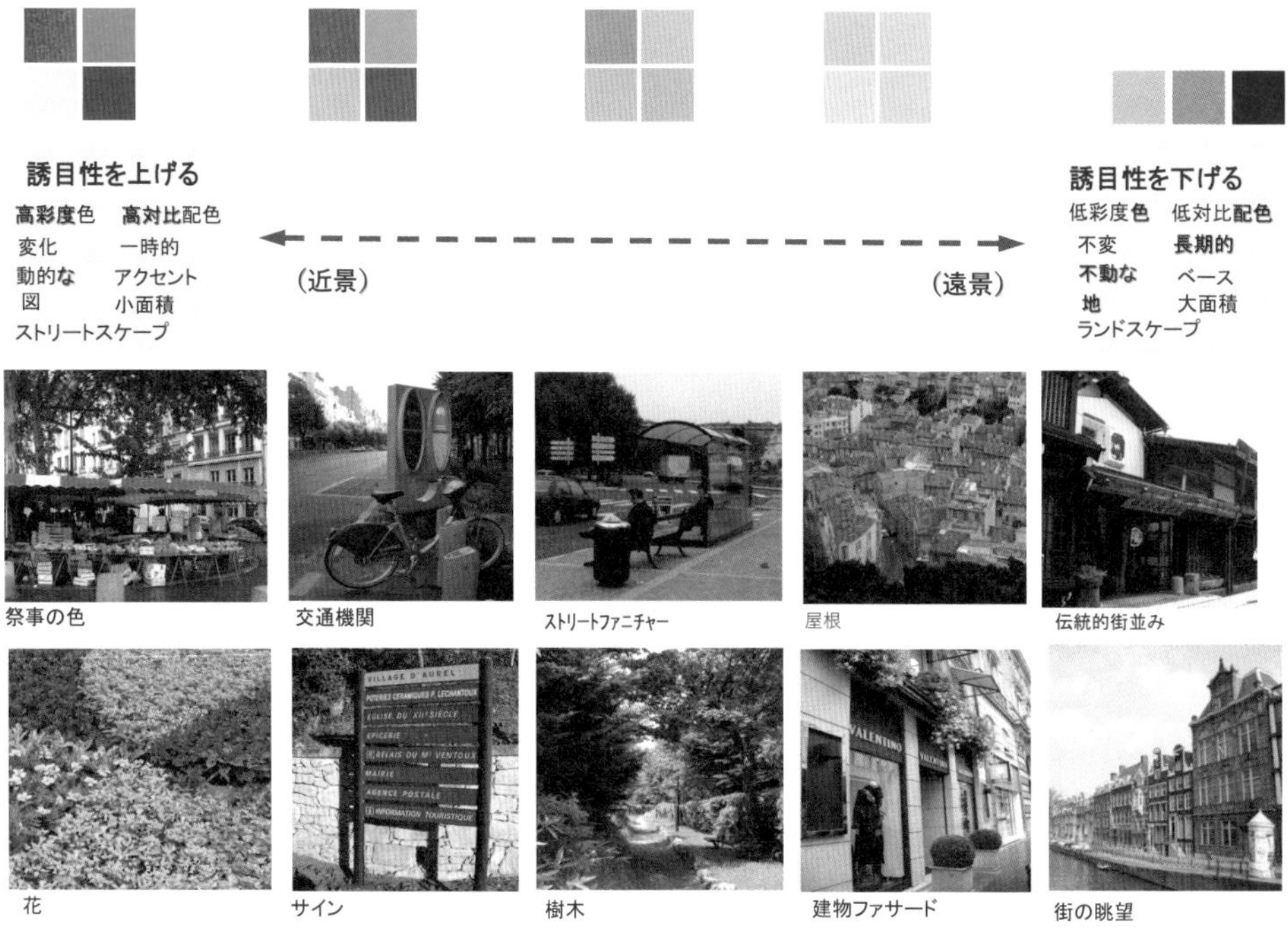

図 1　　　　（作図：中井景観デザイン研究室）

ベンガラ色

『ベンガラ色』とは彩度の低い赤褐色のことで、ＪＩＳの慣用色名[注1]にも採録されている。「ベンガラ」は土中の鉄が酸化した「酸化第二鉄」を主成分とする赤色顔料である。インドのベンガル地方で良質のものが採掘され、ヨーロッパの国々が世界中に大航海していた時代、オランダの東印度会社がインドのベンガル（bengal）地方から持ち帰った事に由来する。江戸時代に日本では「ベンガラ」と称され、「弁柄」「紅柄」「紅殻」などの当て字が使われる。土中に含まれる酸化鉄の赤色顔料は地球上に多く存在し、ベンガラの赤色顔料は世界各地でさまざまな名称で使用されてきた。例えば、スウェーデンのファールンレッド、インドのインディアンレッド（Indian red）、イタリアのシェナ産の土を焼いた顔料バーントシェンナ（burnt si-

ベンガラ色
(JIS 慣用色名)
8R 3.5/7(マンセル値)
R124 G49 B27

enna)、中国の代州産の赤鉄鉱を含む代赭（たいしゃ）色、英語名のRed Iron Oxideなどは、ベンガラ色と類似の色調で土中の酸化鉄から作る赤褐色の顔料である。

フィンランドのポルヴォー（Poluvoo）は、バルト海のフィンランド湾に注ぐポルヴォー川に面した古い港町で、川沿いの丘斜面には大聖堂を中心に中世の街並みが保存され、川岸には水運業で活躍した切妻屋根で赤褐色の木造倉庫群が美しい景観を展開している。この木造建築群の赤褐色は「ファールンレッド」と呼ばれ、ベンガラ色と同様に銅山の副産物である酸化鉄から作られた赤色顔料である。「ファールンレッド」の名称の由来でもある

22
ポルヴォーの木造倉庫群の景観

24
ファールンレッドの教会

23
ファールンレッドの民家

ファールン（Falun）は、スウエーデン中部ダーラサ地方の都市で、17世紀には世界規模の銅生産量を誇り、現在は世界遺産に登録される銅山がある。フィンランドがスウエーデン統治下に置かれていた18世紀末に、スウエーデンのグスタフ3世がポルヴォーを訪問した際、川岸の木造倉庫群にフォールンレッドが塗られた。耐久性、耐光性、防腐効果など機能的にも優れ、木造でもレンガ造に見えることから、17世紀頃から多くの木造建築の塗装に使用される。昨今は合成された塗料も存在するが、ベンガラ色の素朴な色調は北欧では現在も人気の色である。

一方、江戸時代のベンガラ色の街並み景観を観光に活用しているのが、岡山県の吉備高原に位置する高梁市吹屋（ふきや）地区である。吹屋地区は江戸時代初期から銅山で栄えた山間の町で、銅山の銅採掘の副産物である硫化鉄鉱を活用し、江戸時代末期から明治・大正にかけ日本で唯一のベンガラ産地として栄えた。ベンガラの赤褐色顔料で財を成した豪商たちは、島根県から宮大工達を呼び寄

ベンガラ色の吹屋地区の街並み（伝統的建造物群保存地区）（写真提供：岡山県観光連盟）

せ、赤褐色の石州瓦の屋根とベンガラ色の土壁とベンガラ格子の町屋群を街道沿いに建て、ベンガラ色で統一された街並景観を構築する。ベンガラ色の街並みは1977年に国の重要伝統的建造物群保存地区に指定され、貴重な観光資源となっている。

北海道でもベンガラ色は身近な建築物で使用されていた。大正元年に酪農家の宇都宮仙太郎がアメリカから輸入した畜舎は、「外側は赤塗り屋根は緑色で、その配合は美しく、付近の農村を圧していた。」（『宇都宮仙太郎』黒沢酉蔵著）とあり、畜舎には酸化鉄による赤褐色顔料が塗られていたとみられる。赤褐色の外壁と緑色の屋根の畜舎は、その後は北海道の酪農業に従事する人々の憧れの存在となり、北海道の多くの畜舎の色に採用された。また、近年では当別町にあるスウエーデンヒルズの住宅地でも、ベンガラ色の木造住宅を見ることができる。

赤褐色の外壁と緑色屋根の畜舎（北海道）

地球上に多く存在する天然酸化鉄の赤色顔料は、古代から世界各地で使われてきた。ヨーロッパのラスコーやアルタミラノの洞窟壁画、日本の古墳にも内部が赤く塗られたものが存在している。旧石器時代には土器の彩色にも使用されていた。赤色は生命の源である血液の色であり、人間の復活・再生に相応しい憧憬の色で、特に土から作られるベンガラの赤色顔料は、人間の生活の営みと共存する神聖で貴重な存在であった。

エコロジー志向の現代社会においてベンガラ色の赤色顔料としての用途は広く、耐熱性、耐水性、耐光性、耐酸性などに優れ安全な自然素材であることから、建築塗装材、陶芸材料、繊維の染料、工業用品の着色染料など、多種多様な領域での活用が期待される。

ベンガラ色の素朴で趣ある色調は、樹木の緑にも映えて美しい景観を創り出す。北海道においては、自然と調和する歴史ある景観色でもある。

注1　慣用色名：ＪＩＳ Ｚ８１０２の「物体色の色名」に規定されている色名。
「ベンガラ色」は、ＪＩＳ Ｚ８１０２の「物体色名」で、マンセル値表記では、８Ｒ３・５／７

空色と水色

色を言葉で表現するのは、なかなか難しい。緑色と言っても、皆が同じ緑色を思い浮かべているわけではない。「十人十色」とは良く言ったもので、本来は嗜好や考え方や性格は人それぞれ違うことを意味するが、しかし、「十人十色」の言葉の意味をそのままに解釈して、各人が眼の網膜を通して知覚する色は十人十色であるとも言える。そこで実際に色を使用する場合に混乱を生じないように、色を表現する共通用語として、マンセル値[注1]の色見本やパソコン画面の色表示であるR・G・B、さらに印刷用のC・M・Y・Kなどの記号と数値が、色を伝達する手段として存在する。

しかしながら、文学の世界や日常生活においては、記号や数値で色を表示されても、すぐには具体的な色彩を連想できないし不便である。そこで古来より

水色
6B 8/4（マンセル値）
R199 G225 B232

空色
9B 7.5/5.5（マンセル値）
R176 G215 B237

多くの民族や地域において、各々の文化的文脈に即した「色名：color name」が存在している。自然現象の色や具体的な事物や状態から連想される色、染料や顔料に由来する色の名称など、多種多様な色名が存在する。例えば、今回のテーマである「空色」や「水色」も、その一つである。

身近な自然環境に存在する空や水に関する色名は、昔から私たちの生活の場面で活用されてきた。以前にも紹介したが、平安時代に宮廷や貴族の間で流行した『襲の色目（かさねのいろめ）』では、微妙な色調の装束の組み合わせを着用し楽しんだが、そこで育まれた美意識は、多くの日本の伝統色の誕生をその時代にもたらした。「空色」や「水色」の名称も、『源氏物語』はじめ平安時代の文学の中に登場している。

2000年代初めに、札幌市市民情報センター（当時）で「そら色ステーション」というラジオ番組が毎週金曜の1時間、生放送（コミュニティ放送各局と連携）されていた。地域の生活情報を市民目線で発信し行政と市民を繋ぐ目的があった。「札幌の景観を考えるシリーズ」で2回出演したが、肩の力を抜いて行政を語る内容と進行で、「そら色」の響きが明るい市政に繋がるようで印象に残っている。

夏目漱石の著書『虞美人草』には、色名がよく出てくる。クレオパトラに関する場所では「紫色」、金銭にこだわる人には「金色」、清楚な女性のリボンには「水色」の表現を用いている。また、色と形に対する見解もある。漱石は、色名を人間の内面や性格を伝える一助としていたが、平安時代の文学の美意識にも色で人物や情景を描写する同じ様な展開が見られる。歌謡曲の世界では色で情景や心情を描写することは多いが、1971年にヒットした天地真理の「水色の恋」（作詞：田上えり）は、タイトルの「水色」が印象的であった。二番の歌詞に「水色に残された影を追って、…」とあり、「水色」は淡い恋心の表現にもふさわしい色名となった。「青色」ではダメなのである。

太陽光が大気中の塵や微粒子に当たり散乱するとき、短波長の青い光は特に影響を受けやすく、晴れた昼間の空が明るい青色に見える要因となる。しかし空の色は、天気、気温、湿度、風の有無などの気象条件や季節の推移によって変化する。移ろいやすい空の色にもかかわらず、「空色」はJIS慣用色名のマンセル値（9B7.5／5.5）が決まっている。

水の豊かな日本においては澄んだ水を連想させる「水

27

28

29 「水色」（ニース）

色」の色名は貴重で、光が水中で散乱する現象や水底の色、空の色が映り込んだ青緑がかった薄い水色など、様々な現象が複合された色である。本来、水は無色透明であるはずが、「水色」JIS慣用色名ではマンセル値（6B 8／4）が決まっていて、薄青く澄んだ水色を指す。「空色」も「水色」も実際には不確実な色であるにも関わらず、JIS慣用色名には実際の色見本が存在するのが不思議である。

英語で「空色」は「スカイブルー：sky blue」である。英語には空色の表現が幾つかある。果てしなく広がる天空の水平線付近では、空の色は白味を帯び「ホリゾンブルー：horizon blue」と呼ばれる。これに対し天頂部分の空の色は「ゼニスブルー：zenith blue」と称され、濃い空色となる。「ゼニスzenith」は英語で天頂・頂点を意味するが、「天」の字は「地上を離れた遥か遠く高いところ」、「人間以上の神や天子や天使

「空色」と「水色」（地中海）

「空色」と「水色」（オーストラリア）

がいる、宗教上では、人間界より上位の世界」を示す。天におられるキリスト教の聖母マリアは、ヨーロッパの多くの宗教画に描かれているが、いつも象徴的な「青い衣服」をまとっている。日本語にも「天色」や「天空色」の名称はあるが、色名に関する宗教的連想はほとんどない。

「空色」と「水色」は、ちょっと見には似たような青系の色である。色名を一つにまとめてもよさそうだが、人間が生息する場所から臨む自然界の空と水を表現するには、「空色」と「水色」の二つの色名表現を必要とする文化的・象徴的背景がある。各々の色名が表明する意味の違いから、「空色」と「水色」の呼称を用いて薄青色を表現する必然性があった。「空色」と「水色」の響きと連想される透明感ある薄青色イメージは、どの時代においても人間の心理描写を象徴的に物語ることのできる稀有な文学的色名である。

「空色」(北海道)

注1　マンセルの色票にもとづき、色の三属性（色相・明度・彩度）で表現した色記号

「図」と「地」

私たちの眼前に広がる景観には様々な色が混在している。空や海の色、樹木や草花や生物の色、農林水産業の営みなど自然系の色がある。さらに、人間が生活や生産を営むための建物や施設等の構築物の色も存在する。一口に環境色彩を調和させると言ってもなかなか難しい。そこで、景観に影響を及ぼす多様な色彩表現について、ゲシュタルト心理学[注1]の「図：Figure」と「地：Ground」の概念を用いて考えてみたい。「図」と「地」の関係とは、平易な言葉で言えば、「主役」と「背景（脇役）」の関係と言い換えることもできる。

「図」と「地」の説明には、エドガー・ルビン[注2]による『ルビンの壺：Rubin's vase』の絵が良く使われる（図1）。眺め方によっ

図1：ルビンの壺

て二つの見方ができる絵図である。白い領域が前面に出て「壺」の形に見える「図」となる場合は、黒い部分は背景の「地」となる。しかし見方を変え、黒い領域を直視すると対面する二人の人間の横顔が「図」として浮かび上がり、白い領域は背景の「地」として認識される。このように図と地の関係の概念は、人間の眺め方の違いで、或いは、周囲の文脈により内容が反転する。

芦原義信氏は著書『街並みの美学』のなかで先の『ルビンの壺』を引用し、類似の現象を都市空間の場に置き換え、都市の街路空間を「意味ある形」と「余白の空間」の関係、すなわち「図」と「地」の関係で判読した。眺める人間が視座を変えると、「図」と「地」の見え方が入れ変わると解説する。例えば、ヨーロッパの街並景観では、建物ファサード注3の連続性が「意味ある形」として「図」となり、日常生活を営む建築物群を形成する。そして、屋外の街路や広場の空間は、街の背景を構成する「余白の空間」となり脇役にすぎない。しかし、祭りやイベント

サイン類が視認しやすい都市景観の「図と地」（パリ）

街の中間領域にあるカフェ

街路空間と中庭の「図と地」(フランスの田舎)

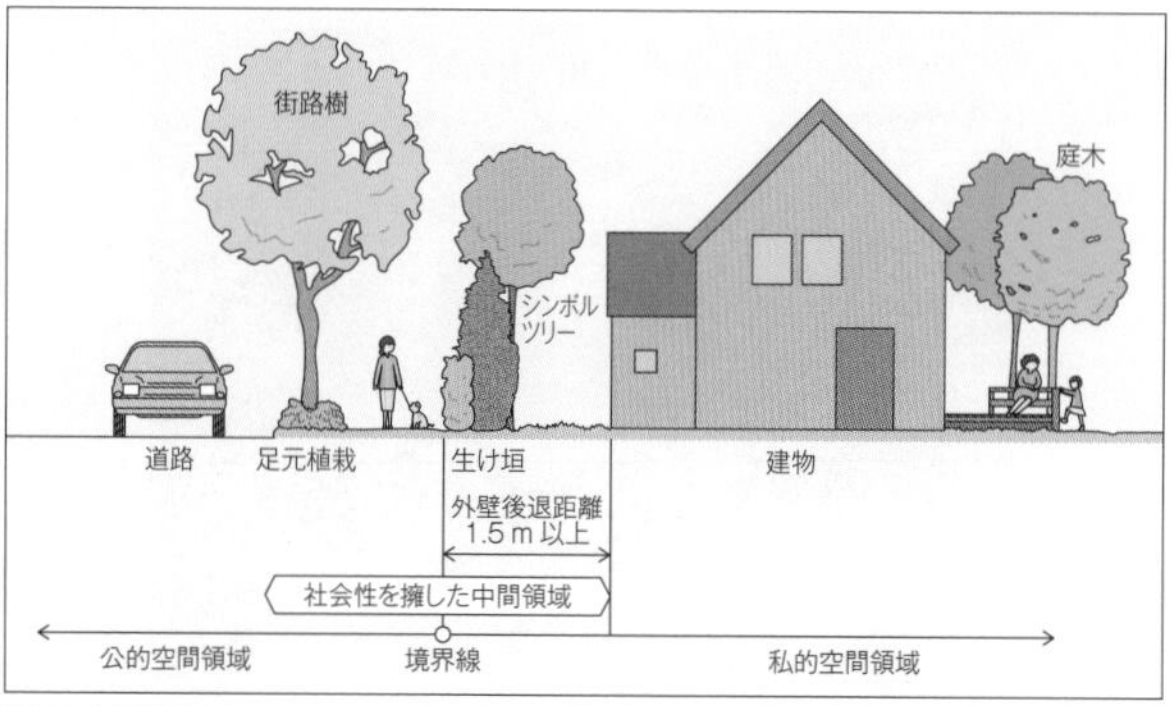

街の中間領域

などの行事が開催される際には、街路や広場の空間が主役の「図」となり立場が逆転する。街路や広場は地域住民が楽しむ賑わいの場へと変貌し、色彩豊かに飾り付け演出された主役の空間へと反転する。同じ都市空間であるにも関わらず、生活の文脈が異なれば、この様に「図」と「地」の関係が逆転し、人々のかかわり方も違ってくる。

街の色彩景観では、赤や黄色やピンク等の派手な色彩が常に悪いわけではない。例えば、ベルギーのブリッセルの街に出現した、復活祭の朱色のうさぎの巨大オブジェは、街並景観の落ち着いた色彩環境を背景として「図」となり、復活祭の時期限定の賑わいや活気を演出している。また、フランスの郵便関係の施設は青色と黄色の2色で表示されるが、グレーやベージュの建物群が多いヨーロッパの街並み景観のなかでは視認しやすい色で、背景となる街の落ち着きある色彩景観と調和する図と地の関係を形成している。すなわち、景観全体を総合的に構造的に把握し、都市空間における「図」と「地」の色彩環境の

復活祭の広場に出現したウサギの巨大オブジェ（ベルギー）

フランスの郵便局の黄色と青色の C.I.

バランスある相互関係を構築する必要がある。特にサインや標識類の視覚情報デザインの領域では重要である。

生物は長い時を経て、生存に適した自らの生き方を保持してきた。求愛行為などでは目立つ色彩で自然の中で存在をアピールし、「図」として際立つ主役の存在となる。一方、敵から身を隠すためには周辺環境に馴染む保護色で、自らを背景の色彩環境に隠ぺいする「地」としての行動がある。まさに、「ルビンの壺」の「図」と「地」の関係を、無意識のうちにも使い分けて種の保存に努めてきた。

それでは、私たちが暮らす現況の都市景観はどうであろうか。昨今は、「インスタ映え」を狙った、自己主張の強い派手で目立つ色使いのデザインが増えた。誰もが主役の「図」となり目立とうとすれば、都市空間は趣のない雑多な色彩景観の街と化してしまう。人間も自然界の生物の一員として、自然・歴史・文化などの背景となる地域景観の文脈（コンテクスト）を理解して、「図」と「地」の関係を意識しつつ、節度ある色彩デザインを行うことが、美しく魅力ある街並み景観の形成には重要である。

多種多様な人々が居住する都市空間であるから、市民や行政や事業者等が各々の立場と役割を理解して、良好な色彩の景観形成に努めるまちづくり文化を育てたい。

注1　ゲシュタルト心理学（Gestalt Pschology）：人間の心理を部分や要素の集合ではなく、全体性を持ったまとまりある構造として、つまりドイツ語のゲシュタルト（Gestalt：形態）として把握した。形態心理学とも称され、20世紀初頭にドイツで提起され、後の知覚心理学や認知心理学に受け継がれる。

注2　エドガー・ルビン（Edgar John Rubin）：1886年—1951年デンマーク出身の心理学者。図と地の関係に関する「ルビンのツボ」の絵図を1915年に考案する。後にゲシュタルト心理学で取り入れられる。「ルビンの盃」、「ルビンの杯」などとも呼ばれる。

注3　ファサード：フランス語で建物の正面を言う。街路や広場を形成する建物の顔となる重要な正面部分。

色と構築物

建築物や土木施設などの構築物は、都市空間や自然環境における存在時間が長い。土木関係の構築物は地域景観を形成する重要な役割を担っている。土木デザインの基本は『用・強・美』、すなわち機能性と耐久性ある強度と審美性ある構造美が重要である。色彩で目立つのではなく、土木構築物の用途と耐震・耐久性を考慮した長期的存在に耐えうる普遍的な審美性である。

パリのエッフェル塔が良い事例である。1789年のフランス革命から100周年を記念して開催された1889年のパリ万国博覧会で建設された。高さ320mのエッフェル塔は、当時のパリの街では高さが突出した存在であった。当初は、高さのあるエッフェル塔は、それ以前の記念碑とは異なる奇妙な形態の故に、多くの文化人やパリ市民の嫌悪の的になった。しかし一方で、フランスの知性と斬新さを評価する人々もいた。技術師エッフェルの設計はディテールにもおよび、近景で見るエッフェル塔の形状は美しい。色彩もチャコールグレー系の落ち着いた色調で、周辺の緑環境に調和している。今日ではエッフェル塔は、パリのシンボル的存在であり、都市景観における重要なランドマークとなっている。約135年の歳月に耐え得た土木デザインであると評価できる。色で目立つのではなく、構造美で存在を主張したことが、長期的なランドマーク性の確保に繋がっていると考える。

色と構築物の考え方は、ダムや橋梁などの大規模な土木建造物や建築物等の建設において考慮すべき内容である。大規模構築物の色きめに際しては、主に三つの留意点がある。①光の色と物体の色の違いに留意する。②色の面積効果について留意する。③素材表面の仕上げ（テクスチャー）による見え方の違いに留意することの三点である。

①光の色と物体の色の違いに関しては、本著のなかで繰り返し述べているが、パソコン上で見る光の色と、現実の構築物が形成する物体の色とは異なる点である。実際に構築する物体の色きめに際しては、大きな色見本を作成して現場の光で確認することが重要である。

エッフェル塔（パリ）

②色の面積効果とは、同じ色相・明度・彩度の色でも、色を使用する対象物の面積が広くなれば、色の見え方や印象が変化する現象である。対象物の色の面積が広くなればなるほど、同じ色彩が明るく鮮やかに見えてくる。色を決める際には、なるべく大きな色見本を作成して、現場の光で見て検討する方が、色の面積効果による見え方の誤差が少ない。

③建築素材の表面仕上げ（テクスチャー）の違いで、素材の色の見え方は異なってくる。建築や土木デザインの分野では、素材表面を鏡面のようにツルツルにしたり、線状の溝をつけたり、ザラザラやデコボコの仕上げにする場合もあり、同じ素材でも色の見え方がそれぞれ異なる。素材表面で受けた光の反射方向が異なるから生じる現象で、建築素材のデザイン効果としても留意したい点である。

フィンランドの建築家[注]アルヴァ・アアルトは、設計した建築物に使用する建築素材とテクスチャーに関して、「実験住宅」と称する自身の

43

44

建築・土木現場での色彩検討

別荘で、興味深い建築素材の使用実験を行っている。建築素材が実際の太陽光の下でどの様に見えるか、風雨に対する耐久性なども確認していたのである。アアルトの建築作品が、今日でも高い評価を得ていること、彼の建築物がフィンランドの風土に馴染んだ趣ある景観を形成している所以である。

建築・土木デザインの分野においては実際の構築物の色きめに際して、パソコン画面や小さな色見本だけで検討するのではなく、構築物を建設する周辺環境と現場の光の在り方、使用する面積や目的、素材の表面仕上げのあり方などの諸要素を考慮して、複合的に検討することが重要である。「色と構築物」の考え方は、自然環境や都市空間の景観を長期間にわたって形成する土木・建築デザインにおける必要条件ではなかろうか。

注　アルヴァ・アアルト（ALVAR・AALTO　1898―1976）フィンランドの建築家。北欧フィンランドの自然環境に馴染む建築作品を創る。モダニズム建築の潮流の中で、シンプルで合理的なデザインの建築物を探究する。「アルテック」を設立し、曲木の技術を使った家具やインテリアデザインも試みた。

45

46

アルヴァ・アアルトの実験住宅（フィンランド）

秋の色

1日のうち昼と夜の時間が同じ秋分の日を迎える頃には、今年もすでに3分の2の月日が経過し、日没時間の早まりと共に厳しい寒さと降雪の冬に向かう準備に、一抹の寂寥感を北海道の人々は毎年抱く。そのような季節の変わり目に極めて短い期間ではあるが、北海道の色鮮やかな美しい紅葉は、冬支度にとりかかる人々に、素晴らしいモミジの錦絵を見せてくれる。暑さから寒さへの気温の低下と日照時間の減少による急激な環境の変化が、自然界の樹木の営みにも大きな変化をもたらし、色鮮やかな「紅葉狩り」の楽しみを人々に贈ってくれる。

植物の葉には、太陽光のエネルギーを浴びて植物内の水と空気中の炭酸ガスなどから、植物内にデンプンと酸素をつくる「光合成」を行う葉緑素（クロロフィル）が存在する。太陽光には赤色から青紫色までの多様な波長の光が含まれている。植物の葉に太陽光が照射されると、赤系や黄系の波長の光は葉に吸収され、緑系の光が葉の表面で反射されることから、春から夏の時期の葉は緑色に見える。

　秋になり外気温が低下し日照時間が減少すると、葉の表面で葉緑素のデンプンを生成する光合成の機能が衰える。本来は幹に送られていたデンプンが葉の部分に残り、朝晩の気温の低下で赤色系の「アントシアニン」へと変化する。カエデやウルシの葉が赤色となる「紅葉」である。また一方で、イチョウなどの葉が黄色に変化するのは、葉緑素の生成が止まると、元々葉に含まれていた「カロチノイド」の黄色の色素によ

日本の秋の色

り、葉が黄色く見えてくる現象である。アントシアニンやカロチノイドは植物の葉ばかりでなく、花弁や果実や根などにも含まれている。ニンジンやカボチャのカロチノイドが有名である。はつか大根（ラディッシュ）の酢漬けが赤色に変化するのもアントシアニンの作用による。

古来より自然現象の色を表現する言葉は、立地する場所の多様な自然環境に応じて、さまざまな色名が存在した。四季の変化が明瞭である日本では、草や木の微妙な色の変化を表現する色名が豊富にある。日本の秋の葉の色に関しては、紅葉に代表されるように、紅葉色、朽枯色、朽葉色（黄朽葉、赤朽葉、青朽葉、濃朽葉、薄朽葉）など、赤色から茶色を経て黄色に至る色の微妙なグラデーションを表す言葉が数多く存在する。日本列島は南北に長いことから、テレビや新聞等のマスコミでも紅葉は話題となり、北上する「桜前線」と共に南下する「紅葉前線」も紹介されて、秋の「紅葉狩り」を人々は楽しむ。

元々、「モミジ」という言葉は、一般的な紅葉を指す言葉で、イロハカエデ系の美しい紅葉をモミジと称していたのが今日に至ったそうである。日本の山林には、赤色に紅葉するカエデやウルシやハゼなどの樹木が混在していることから、秋には美しい色の錦絵が展開される。北海道の山林には、赤色に紅葉するヤマモミジやハウチワカエデ、ヤマウルシなどの樹木が、常緑樹と混在する混合林が存在する。

小学校唱歌の「もみじ」の歌詞を思い浮かべてみよう。『秋の夕日に照るヤマモミジ、濃いも薄いも数あるなかに、松を彩る楓や蔦は…』と謳われ、二番の歌詞には『渓の流れに散り浮くもみじ…、赤や黄色の色さまざまに水の上にも織る錦』と、日本の秋の素晴らしい紅葉の情景が、みごとに謳われている。

日本の「紅葉」に匹敵する現象は、ヨーロッパの秋には存在しない。イブ・モンタンの歌で有名なシャンソンの『枯葉』は、フランス語では〝Les feuilles mortes〟と

ヨーロッパの秋の色

51

52

53

54

表現され、直訳すれば「死んだ葉」で日本語の「落ち葉」にあたる。シャンソンの『枯葉』は、過ぎ去った恋を思う内容の歌詞であるから紅葉する必要がないのであろう。

日本より高緯度に位置するヨーロッパの秋はたいへん短く、木の葉は黄色から褐色に変化するのみで、日本の紅葉のような華やかな赤色はほとんど存在しない。有名なヴェルレーヌの詩「秋風のヴィオロンの…落ち葉ならね身をばやるわれも、こなたかなたに吹きまくれ逆風よ。」（堀口大学訳：新潮社）や「枯葉」のシャンソン歌詞にあるように、フランスでは秋の枯葉は過ぎ去った人生や昔の恋人の思い出などに隠喩される場合も多い。

秋の色には、紅葉の赤色系の「華やかさ」と、枯れ葉の黄色系の「もののあわれ」と、二面性を持つ深い意味が含まれている。

秋のチョコレートのラッピング（パリ）

①・②・⑤〜⑨　(一社) 北海道土地改良設計技術協会「北の農村フォトコンテスト」入賞作品

③・④・⑩〜㉔・㉖〜55　著者撮影

㉕　岡山県観光連盟

「色彩」メモ❹ 「色見本」あれこれ

・物体色の色彩を決める場合には、対象となる具体的な物体や素材に対応する「色見本」を使用しましょう。
『マンセル標準色票』の色見本は、「マンセル表色系」による「色の三属性」である色相・明度・彩度を用いて色彩を表現する、「スケール（ものさし）」でしかありません。実際に色を決める際には、色を使用する環境に適応した色見本からの選択になります。

・例えば、印刷物では「DIC カラーガイド」などの印刷用色見本、塗装用では「日本塗料工業会」の塗料用色見本、建築や土木構築物などでは各建築素材の色見本などが存在します。
同じ建築素材でも素材表面の仕上げ方の違いで、素材表面の色彩は異なって見えます。石や木や金属の表面で反射する光の角度や方向が異なる現象から、色合いが異なって見えるのです。

・「色の面積効果」の現象もあります。色彩は面積が大きくなると人間の眼には明度・彩度が明るく見える現象です。建築外壁などの建材の色見本は、できるだけ面積の大きい色見本を作成し、現場の光の下で検討すると誤差が少ないです。

日本塗料工業会の色見本

建築材料のパネル事例

6・色と現象

透過色

「透明人間」という題名のドラマが、昔テレビで放映されていた。出演する人々の演技力によって、透明人間が本当に傍にいるかのように、見る者には感じとれた。

物体に光が当たると物体の表面で光が反射・吸収され、反射した光は対象物の色「物体色：object color」として人間には知覚できる。また、光が物体の内部を通過して外部に出ることを「透過：transparent」と呼ぶ。例えば、光が物体を透過する際、入射した光がそのまま直進して物体を透過するのが透明ガラスで、物体内で光が拡散しながら透過するのが曇りガラスである。透明人間は、光がそのまま透過する透明ガラスのような存在であろうか。

一方、光が物体を透過するとき光線が屈折し透過されて生じる色を「透過色[注1]：transparent color」と呼ぶ。ステンドグラスのような色ガラスや着色フィルムやワインの色などは、光が通過する際に知覚できる色である。例えば、光が赤ワインに当たると、長波長の赤い光が多く透過され、残りの光は吸収されるので、ワインは赤い光の透過色として見える。光が物体を透過する際の半透明の色は、透かし感のある微妙な色空間を創出し、見る者の心にわくわく感を育むように思う。

赤とロゼのワイン

教会のステンドグラスに外部から陽光が差し込む時、赤や青や緑など多様な色ガラスで構成されるステンドグラスは、教会内部の大空間にさまざまな輝きをもたらす。特にオレンジ色がかった夕日が差し込む時、ステンドグラスは暖かみある神々しい空間を教会内に創出する。パリのノートルダム大聖堂やシャルトル大聖堂など、西側正面入り口の上部に設置された「バラ窓」が光り輝く瞬間である。教会の内部空間は象徴的な宗教空間へと変容する。

ガウディ[注2]のサグラダ・ファミリア教会は、林立する尖塔内に青から緑を経てオレンジに至るステンドグラスが存在し、時間と共に推移する透過色が教会内の天井空間を神聖な形而上の場へと誘う。ル・コルビュジエ[注3]設計のロンシャンにあるノートルダム・デュオ礼拝堂は、コンクリートの分厚い壁の所々に穿たれた窓に、大きさもバラバラなステンドグラスがはめ込まれている。重たい閉塞感に包まれそうな礼拝堂の内部に、赤、青、緑、黄など強弱ある光の色が差し込み、神秘的な祈りの場が暖かみある優しい空間として演出される。

2

ガラスの透過色

ガウディのサグラダ・ファミリア教会

パリのノートルダム大聖堂のバラ窓

ル・コルビュジェのロンシャンの礼拝堂

ル・コルビュジュのロンシャン礼拝堂の窓ガラスには、**母親の名前**(Marie)も書かれている。

海の生物にも透過性ある生き物がいる。例えば、クリオネやクラゲなどは半透明の姿でヒラヒラと水中を泳ぐ姿が、軽やかではかなげで美しい。クリオネは体半分に不透明な内臓が存在するが、一対の透明感ある翼足を動かして遊泳する。透過性ある形と華麗に遊泳する姿が人気で、「流氷の天使」や「氷の妖精」と呼ばれている。

透明感ある物体は、背景にある風景をも同時に透視させることから、透過する物体そのものの存在感を消失させる。この現象は見る者に不思議な印象をもたらし、物体の存在に対してSF的で未来的な幻想を抱かせる。今日ではパソコン画面のデザイン表現にも、「透かし」や「透過」など透視効果ある表現手法がある。不透明な面的表現より透過感がある方が、軽快で柔軟でより現代風なデザイン表現となることから、人々に多用されている。インテリアでも透過性ある素材は人

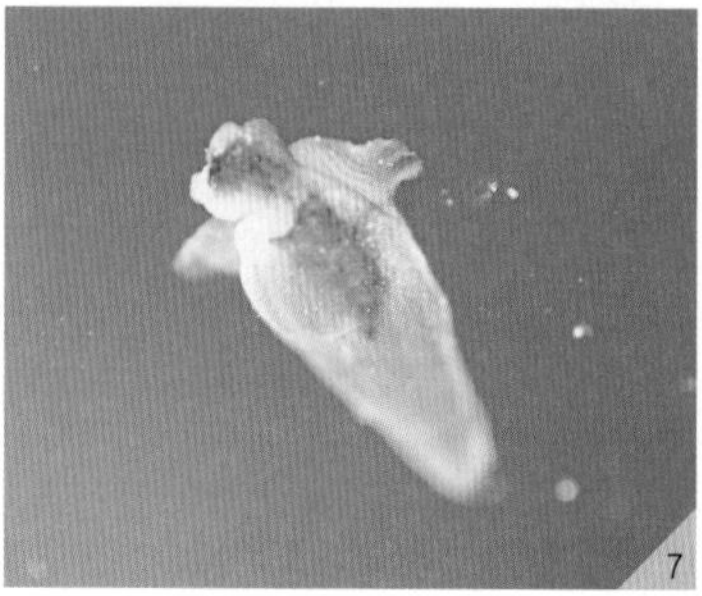

クリオネ

気で、椅子やテーブルに透明感あるプラスチックやアクリル素材も使用されている。若者や女性には、カーテンや衣服にも透け感のある素材が人気である。

透過色は物体の中身が外部から透視して見えることから、すべてを包み隠さず認識できるようにみえるが、その透視感が逆に物体そのものの存在を曖昧にしてしまうパラドックスを含んでいると思える。その逆説的現象が、現況の不透明な社会情勢や仮想空間のヴィジュアルな世界で、受け入れ易いのかもしれない。

注1　透過色：色は「物体色」と「光源色」に大まかに分類されるが、光と物体の関係は、反射・吸収・透過のいずれかにより、色のあり様が異なる。透過色とは通称であり、色としては物体色に含まれる。

注2　アントニ・ガウディ（1852―1926）：スペインの建築家。バルセロナにある1882年着工のガウディの代表作サグラダ・ファミリア教会は、現在も建設中である。

注3　ル・コルビュジェ（1887―1965）：スイス生まれの建築家。二十世紀の建築界の巨匠の一人。ロンシャンのノートルダム・デュオ礼拝堂は1955年完成。打ち放しコンクリートで彫刻のような建物だが、「生きている建築」とル・コルビュジェは呼んだ。

社会的距離

新型コロナウイルスの感染防止策に、「社会的距離：social distance」がある。自分と他者との間に一定の距離を保ち、ウイルスの飛沫感染から身を守る。世界保健機構（ＷＨＯ）では、「物理的距離：physical distance」を用いる。なぜなら「社会的距離」の表現には、多様な意味が内包されるからである。

「社会的距離」と聞いたとき、学生時代に読んだ『かくれた次元：THE HIDDEN DIMENSION』(Edward・T・ホール[注1]著）を思い出した。１９７０年出版の本であるから、新型コロナウイルスとは直接関係がない。しかし、「自分と他者との距離の取り方」に関して、知覚による生物学的観点とコミュニケーション等の社会・文化的視点から捉え、空間構造の「かくれた次元」として論じている。文化圏が異なれば、人と人の距離間隔に対する認識も異なる。例えば、日常の挨拶における相手との距離間は、日本人の場合は互いにお辞儀ができる距離だが、欧米人の挨拶では握手やハグなど触れ合う機会が多く距離間が極めて近い。E・T・ホールは電車やカフェなどの公共空間における、人間が座る場所を占有して行く間隔の規則性について述べている。最初に室内を訪れた人は壁側から座り、電車内等では長椅子の両端から座り始めて、次に真ん中、さらにその間という具合に、無意識にも等間隔に空けて順次座って行く。（図1）川辺や海岸などで釣り人がほぼ同じ間隔で座る光景を良く目にする。日常の場で自分と他者との間に無意識に距離を取る行為は、人間心理に潜む「かくれた次元」である。E・T・ホールは建築空間における距離間に関して、日本建築の「畳」と「柱間」に言及し、日本人の「間」を重視する空間認識の文化を称賛した。建築家のフランク・ロイド・ライト[注2]の成功は、人間が多様な知覚手段で空間を体感することを熟知し、視覚効果を伴う空間の演出、心地よい触感の建築素材の選択、床の高低差や空間移動による筋力感覚の

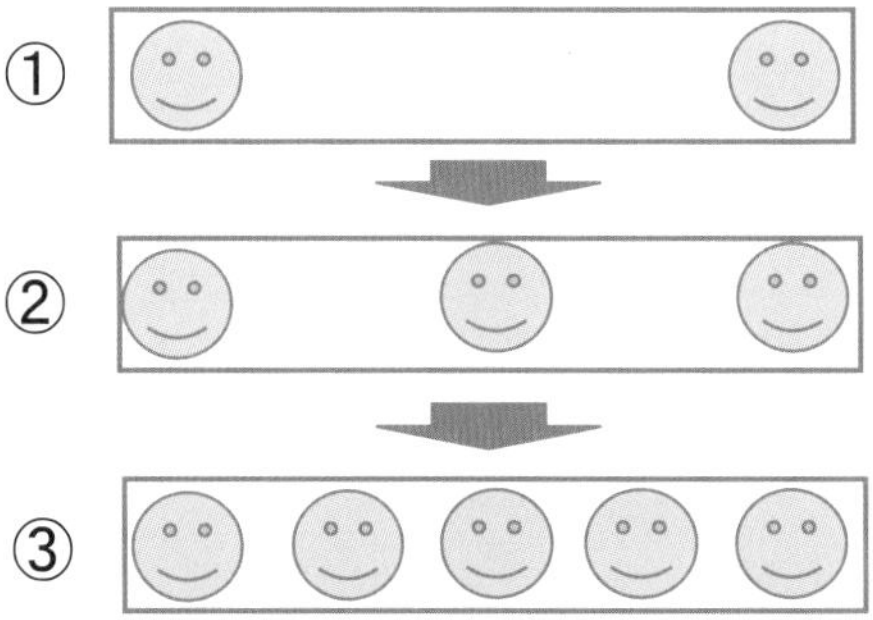

図1：①両端⇒②真ん中⇒③①と②の間と順次座って行く（「かくれた次元」より）

効果など、人間の知覚的効果を建築空間の設計に導入したことにあると指摘した。

人間は目・鼻・口・耳・皮膚などの感覚器官を介して、視覚・嗅覚・味覚・聴覚・触覚などの「感覚モダリティ（感覚様相）注3」を体感し、刺激情報を脳で認識して記憶する。（図2）五感による感覚体験には距離が重要で、触覚や味覚などは接触できる近距離で、視覚や聴覚は離れた場所でも可能であるが、近距離の方が具体的内容の質も深まる。「色彩」に関しては赤や青の色相の違いで、人間が知覚する距離感に差が生じる。暖色系の赤色やオレンジ色は進出色と称し実際より近くに感じ、寒色系の青色や紫色などは後退色と称し若干遠くに感じる。また、暖色系は暖かさや膨張を感じるさせる色、寒色系は冷たさや収縮を感じさせる色などの知覚現象があ

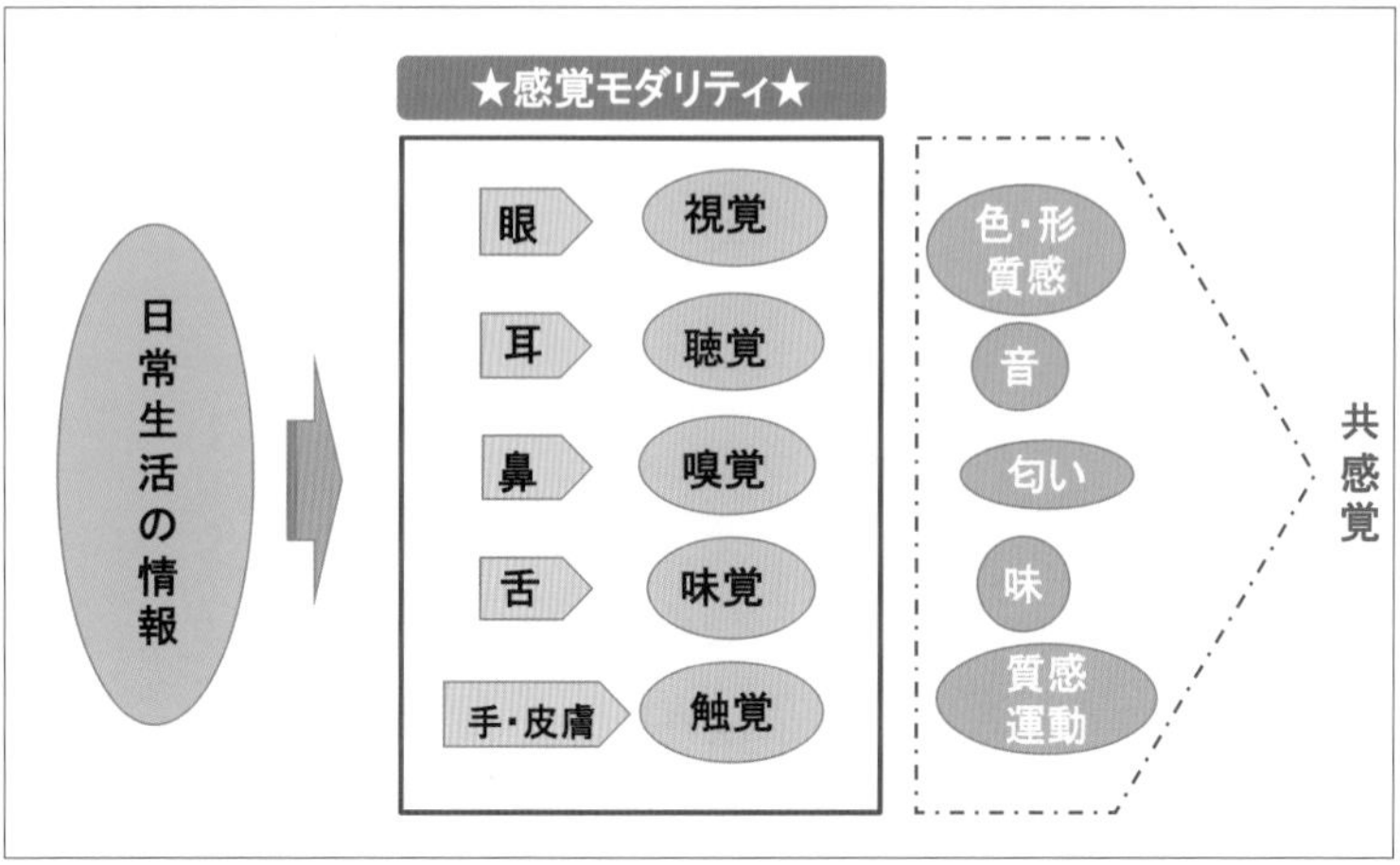

図2：五感の感覚モダリティ　（作図：中井景観デザイン研究室）

る。人間が五感から得る豊富な情報は、イメージ段階で相互に影響を及ぼす「共感覚[注4]（synesthesia）」を生む。料理の味や匂いで過去の記憶が蘇る体験、歌や音楽を聴いた瞬間に昔の情景を思い起こすなど、普段は意識しない感覚モダリティの働きが、多様な知覚現象を人々に引き起こす。

新型コロナウイルスを契機に、教育のオンライン化や仕事のテレワーク化で、表層的にはコミュニケーション環境が形成された。しかし、人間はＡＩやロボットでなく生き物である。匂いや話し声や触れ合いなどの感覚モダリティを介した、人間相互のコミュニティの形成も重要である。ウイルス感染防止対策の約2mの距離では、五感による知覚効果をあまり期待できない。動物の縄張り（テリトリー）意識は、自身のテリトリーへの侵入を許さない身を守る行為であるが、ウイルス感染防止の約2mの考え方も類似する。（図3）

国境封鎖や外出禁止、社会的距離の確保などから、コロナウイルス禍の時は都市空間に人々の姿がなかった。人間や車が消えた殺風景な都市空間は面白みがなく、ＩＣＴによる仮想空間でのコミュニケーションには限界があ

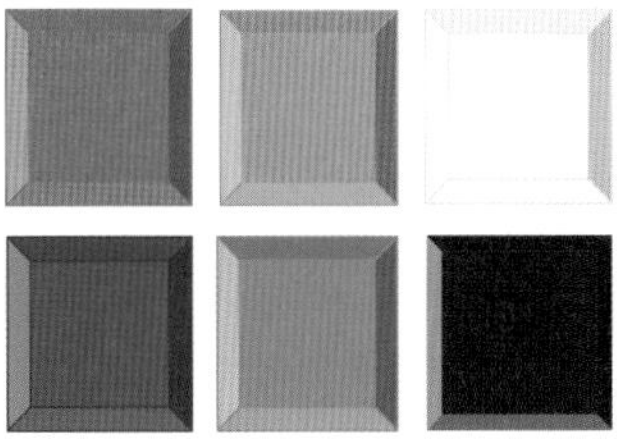
進出色と後退色

る。人間には現実社会における繁華街や雑踏など界隈性あるコミュニティ文化も重要である。人間本来の感覚モダリティとヒューマンスケール（人間的尺度）を考慮したアプローチから、今後のＩＣＴやＡＩの時代のコミュニティ形成の場づくりと、教育や仕事のための快適な環境づくりが必要とされると、今回の社会的距離を契機に思い至った。

■　都市空間の賑わい

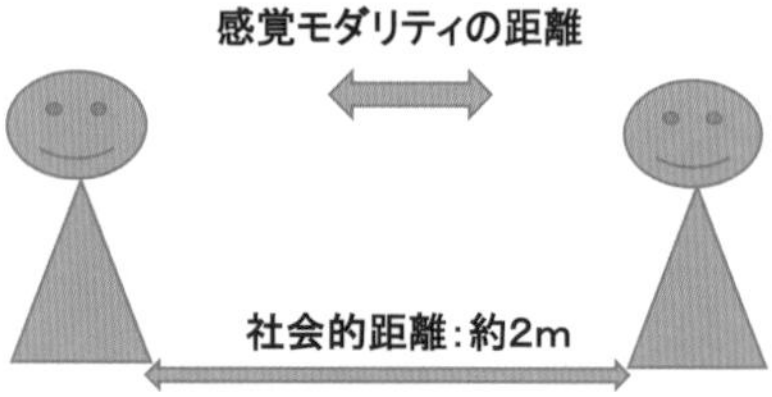

図３：社会的距離と感覚モダリティの距離

注1　エドワード・T・ホール：（1914―2009）、アメリカの文化人類学者。異文化コミュニケーション学の先駆者。

注2　フランク・ロイド・ライド：Frank Lloyd Wright、（1867―1959）20世紀を代表するアメリカの建築家。日本にも旧帝国ホテル本館などの作品がある。

注3　感覚モダリティ：「感覚様相」のこと。五感（視覚、聴覚、嗅覚、味覚、触覚）の各感覚器官を介して、外界や個人の状態を得る体験の種類・性質のこと。

注4　共感覚：一つの感覚の刺激で別の感覚の反応も一緒に起こる現象。例えば、音を聞くと色が見える「色聴」などの現象がある。

ドミナント効果

観光地を紹介する写真には、美しい夕暮れの光景が多い。夕日の光は、太陽の可視光のなかでも赤色から橙色の光が占めている。地球に太陽光が届くまでに成層圏において短波長の青色系の光は散乱してしまい、地球上に届くのは赤色~オレンジ色の長波長の光が主流となるからで、西の空も街の色もオレンジがかった色彩の景観となる。夕焼けの暖かみある景色は、見る人に安らぎと希望を与えてくれ、住民にも観光客にも好まれる。早朝と昼間と夕暮れでは太陽光の性質は異なるので、現実の街の色彩景観は朝・昼・夕で、また、天候や季節によっても違って見える。私たちが見ている屋外の景観の色はとてもアバウトなのである。

昼間の太陽光の下では雑多な色が溢れ騒色の様相であった街の景観が、オレンジ色に染まる夕焼けの現象は、夕日による色の「ドミナント（Dominant）」効果である。「ドミナント」の言葉には、元々

「支配する」とか「優勢」などの意味がある。販売マーケットのドミナント戦略は、チェーン店が特定地域に集中的に出店して市場を独占し、同業他社より販売力を優勢にする手法である。ドミナント効果の表現は使われる文脈により意味の善し悪しが異なる。自然界では外来種生物の優勢が、地域の生態系や自然環境を改変する事例があるが、外来種による生物生態系のドミナントである。

照明光の場合、光源の色が見え方を左右する現象を「演色（color rendering）」と言う。演色性ある光源で物体や空間を見ると、すべての物体が光の色調に染まって見える。照明光による色の演色性には、人間の時間的経過の感覚に影響を及ぼす心理的作用がある。物理的な時間は同じなのに、暖色系の色彩空間では時間の経過がゆっくりと感じられ、寒色系の色彩空間では実際より時間の経過が早く

夕暮れの農村風景（北海道）

意識される。室内使用の照明には「昼白色」、「電球色」などの名称で、光の演色性が表示されている。コロナ禍のような「おうち時間」では、暖色系の癒し感や寒色系のモダン感など、照明光の演色性を利用して日常空間の雰囲気を変える気分転換も面白い。照明光による空間のドミナントである。

京都や金沢などの歴史的町並み景観にも、ドミナント効果を見ることができる。地場産の建築材料の仕様で建てた、銀鼠色や茶褐色の瓦屋根と自然素材による外壁の家屋は、経年変化で微妙な風合いの建物色彩となり、趣ある伝統的町並み景観が形成される。ヨーロッパの歴史的景観も同様で、レンガや石や木造の外壁の色調が歳月を経て趣ある街並み景観を醸し出している。イギリスの田舎、コッツウオルズの「はちみつ色」の石で形成された集落景観は有名である。しかし北海道では、趣ある景観形成へと時間をかけて地域景観の成長を楽しむ「まちづくり文化」が、まだ育っていないように思える。

過日のコロナ禍においては、コロナウイルス（COVID—19）によるドミナント現象があった。世界中が同じ感染状態に置かれて、誰もが先が読めない不測の状況であった。日常の暮らし方や個々人の生き方と共に、多角的視点から人間の生き方の内省が要求されていた。教育や仕事の場では、オンライン化やI・C・T利用が急速に進む一方で、五感を介した人間同士のコミュニケーションの重要性やテ

中世のレンガ建築（ベルギー）

江戸の街並み景観（妻籠）

レワークやワーケーションなどの職場環境の整備課題も見えてきた。グローバルな観点では、コロナ禍以前から始動していた国際連合の「SDGs：持続可能な開発目標」が、「持続可能な社会」の実現に向けて活動の好機を得たことである。

昔読んだ本『パタン・ランゲージ』注1の中にある［学習のネットワーク］の項目に、示唆ある言葉を見つけた。「教える事を重視する社会では、子供や学生…また大人でさえ…受動的になり、自分で考え行動できなくなる。教えることではなく、学ぶことを重視する社会になってはじめて、創造的で活動的な個人が育つ」とある。数年前から「考える力」を重視する教育が言われ始めていた。コロナ禍の初めての体験では、私たち大人もコロナ対応に苦慮した。このような未曾有の状態に置かれた場合にも、「考える力」はサバイバルに生きる上で重要である。

次世代を担う子供たちには、誰もが希望を持って活動できる創造的社会づくりとともに魅力ある景観の楽しい街づくりも期待したい。「考える力」のドミナント効果が、良い形でいろいろな分野に及ぶことが望まれる。

注1　『パタン・ランゲージ』には、「環境設計の手引き」の副題がある。従来の設計方法と異なり、253の言語（ランゲージ）をネットワーク化させ、言語による環境のシークエンス化を試みたユニークな書籍。昭和六十年前後から、街づくりや建築、環境の学生や専門家の間で広く読まれている。

自然に馴染む集落景観（フランス）

灰褐色の屋根景観（フランス）

地場素材による屋根瓦の景観（南フランス）

身近な現象から色を考える：まとめ

私たちの日常生活から色を切り離すことはできない。人間が色を知覚する仕組みは複雑で、多様な科学分野と連携しながら成立している。身近な生活環境には「色」が溢れていると思いがちだが、実際には「光と物体と人間」の関係から、私たちは色を知覚している。暮らしの場面で体感する様々な色に関する現象について、多様な視点から「色の知覚」を考える機会が持てればと思い、「色の自然誌」を執筆した。

太陽光をプリズムで分光し、虹色のスペクトルを十七世紀中頃に発見したのがニュートンである。ニュートンが「光の色」を物理学的側面から解明したのに対して、文豪ゲーテは体験を通した主観的・心理的アプローチから、「色彩論」を1810年に発表した。二人の偉業はその後、「光と物体と人間」の色知覚に関する多方面の研究分野に展開して行く。

私たちは誰かに教わることもなく、声を発したり耳で音を聞くのと同様に、色の知覚も成長に伴い自然と習得される。そのため幼児期には親が子供の色覚障害に気づきづらいとも言われる。子どもがクレヨンや絵具で果物などを描く創作活動を考えてみよう。太陽光や照明光が、果物の表面で吸収・反射されて子供の眼が受光し、眼の網膜の視細胞を刺激して脳組織に至り、赤色や緑色などの「色彩」として認知できる。子供は、クレヨンの色を選択して果物の絵を描く動作に至る。この一連の色知覚の現象は瞬時に行われるが、光学や物理学、生理学や脳科学、色彩心理や知覚心理、芸術表現など、多くの学問領域と関連している。

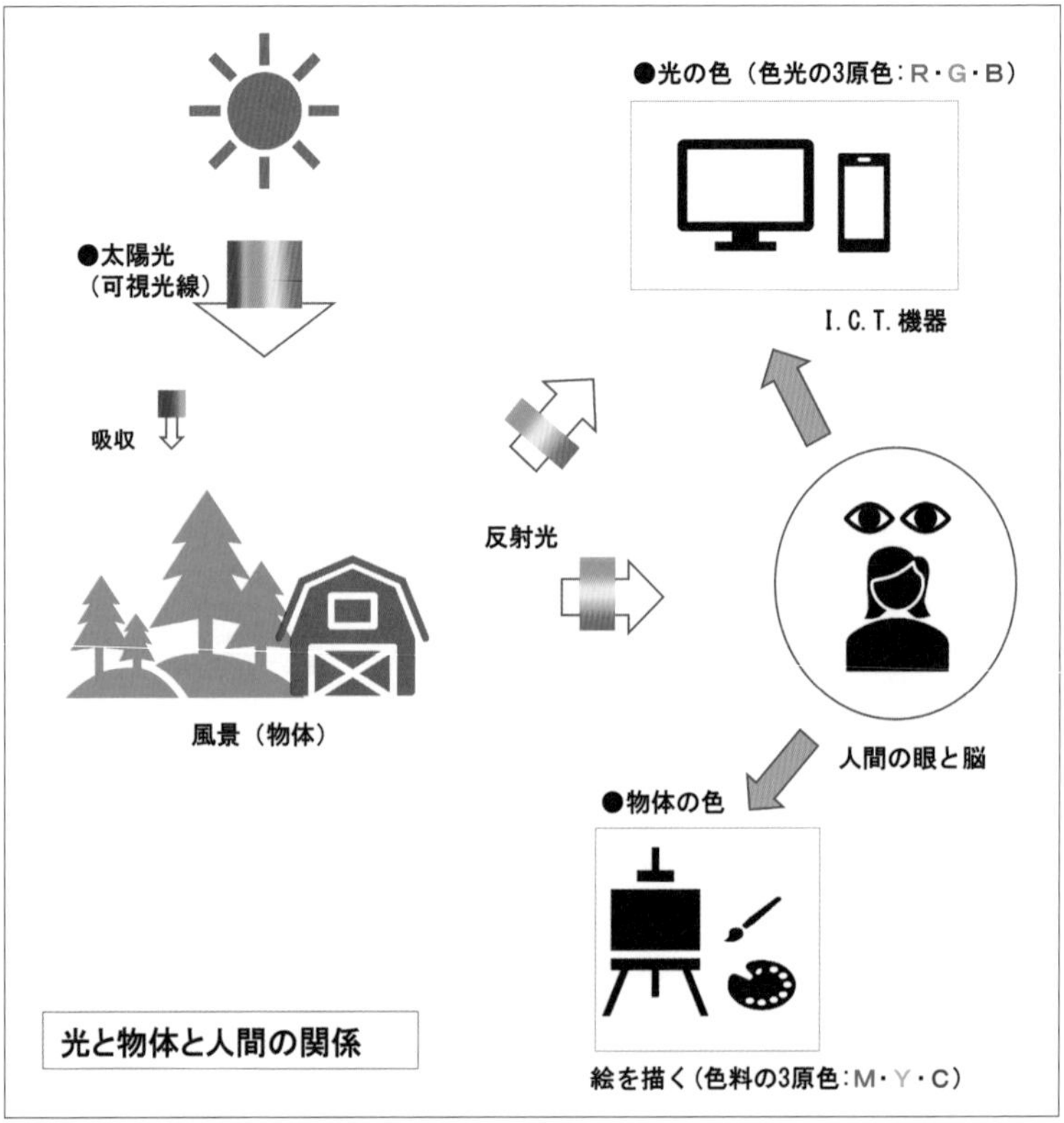

作成：中井景観デザイン研究室

色には「光の色」と「物体の色」がある。「光の色」は、太陽の可視光の短波長・中波長・長波長の光で、「色光の3原色」（R赤・G緑・B青）で表示される。光の色は混色するほど明るくなり「加法混色」言われる。例えば、テレビやパソコンやスマートフォンなどの画面は、R・G・Bの色光の3原色で表現されている。

「物体の色」を表現するのは「色料の3原色」（Mマジェンダ、Yイエロー、Cシアン）で、混色で色を重ねるごとに色光が減少し、濁った暗い色調となるので「減法混色」と呼ばれる。絵画では多数の混色や重ね塗りは色の鮮やかさを失う。そこで、新印象派のスーラやシニャックらの画家たちは、分光した光の色を点（ドット）で併置する「点描画」の手法で、人間の眼の網膜による混色の方法で絵画の色を表現した。印刷物には併置混色と減法混色の原理が共存する。パソコン画面の光の色を、プリンターで印刷すると色みが異なるのは当然で、加法混色で見たパソコン画面の「光の色」を、異なる混色原理で印刷して「物体の色」として見るからである。

太陽光は「可視光」を含む電磁波であるが、晴天の青空、夜明けや夕暮れ時の茜色の空、雨上がりの虹、霧や雲の色印、雪景色と影の色など、季節の変化や日々の気象現象に応じて様々な光の色を展開してくれる。また、自然界では人間も含め多くの動・植物の成長に太陽光が必要である。動植物の求愛行動や身を護る隠ぺい行為などには、光と色の作用による見え隠れの現象が多く存在する。

「光と物体と人間」の色知覚の関係は、色光を受光する眼の網膜細胞と色を認知する脳組織との間で、残像・補色などの「色の錯視」の現象を生じさせる。また、色に反応する人間の色彩感情や色彩心理は、美術やデザインの創造力を喚起する。住宅や職場の室内空間のインテリアデザインにおいては、色彩計画や照明環境の演色性等が、異なる心理的作用を人間に及ぼす。地域の景観形成においては、地球上の緯度による太陽光のあり方の違いが、地域の異なる歴史・文化を創出し、場所性に呼応した色彩景観を形成する。色は地域景観の「らしさ」を形成する要因でもある。

　現実の物理的空間に立地する建築・土木デザインの構築物の色に関しては、大きな色見本を作成して現場の光で検討することが重要である。大規模建築物は、自然環境や都市空間の景観形成に

17

18

19

20

21

22

おける基盤となる存在である

現代社会はパソコンやスマホの画面を介して、インスタグラムやSNSやユーチューブなどの画像情報で人間や事物を見る機会が多い。「物体の色」と「光の色」に関して、若干の知識を誰もが持つ必要がある時代だと考える。

①〜⑥・⑧〜⑩・⑫〜㉒　著者撮影

⑪　「北の農村フォトコンテスト」入賞作品
（一社）北海道土地改良設計技術協会

あとがき

『色の自然誌』では、多様なアプローチから「色」に関する話題を広く浅くランダムに取り上げて紹介しました。また、2013年から2021年までの季刊誌（年1～3回発刊）に執筆しましたので、その時点での社会状況などにも話題を広げたことから、「色」から逸脱することも多々ありました。

しかしその間、インターネット等のI・C・T環境の変化は目ざましく、コロナ禍でのオンライン環境の推進などもあり、身の回りには「光の色」があふれています。それまでの新聞や雑誌などの紙媒体の「物体の色」とは異なることから、「色とは何か」と言う、根源的な問いかけも必要とされています。

私たちの身近な現象から幾つかのテーマに沿って、「光の色」と「物体の色」について、『色の自然誌』にまとめることができ、私自身も色についての考え方が整理できました。皆さんが「色」について興味を抱く緒となれば嬉しいです。

今回、『色の自然誌』の題名で書籍化する旨を、ご快諾いただいた北海道新聞野生生物基金には、心より感謝申し上げます。

また、本文中に添付写真をご提供くださいました、「北の農村フォトコンテスト」（北海道土地改良設計技術協会）の関係者の皆様には、厚くお礼申し上げます。

さらに、出版に際して編集・校正において、ご助言をいただきました清水目正人氏、中村静花さんはじめ、ご協力いただきました皆様方にお礼申し上げます。


ご一読いただき、誠にありがとうございます。

■「モ～リ～」誌　No.30～No.58掲載（発行者：公益財団法人 北海道新聞野生生物基金）
内容に関しては、今回新たに一部に加筆・修正を行いました。

参考文献

■色・色彩心理・知覚心理などの関係

・『色の百科事典』日本色彩研究所編　丸善株式会社　2005年9月
・『色彩用語事典』編集：日本色彩学会、東京大学出版会　2003年3月
・『色彩科学ハンドブック　第3編』日本色彩学会編、東京大学出版会　2003年
・「新編 色彩科学ハンドブック」日本色彩学会編集、東京大学出版会　2011年4月
・『新版 色の名前507』：福田邦夫著　主婦の友社　2012年
・『日本の色・世界の色』永田泰弘監修　ナツメ社　2010年3月
・『色彩の心理学』金子隆芳著　岩波新書　1990年8月
・『色彩心理入門』近江源太郎・日本色彩研究所監修　日本色彩事業株式会社　2003年10月
・『色の手帳』尚学図書・言語研究所編集　小学館　1988年
・『色々な色』近江源太郎監修・ネイチャープロ編集室　光琳社出版　1996年12月
・『色彩効用論』野村順一著（株）住宅新報社　1988年初版
・『知覚心理学』北岡明佳編　ミンルヴァ書房　2011年4月
・『図説　世界のシンボル辞典』ハンス・ビーダーマン著　藤代幸一監訳　八坂書房　2000年11月
・『フランス文化誌事典』ジョルジュ・ビドー・ド・リール　堀田郷弘訳　原書房　1996年
・『ケルト文化事典』ジャン・マルカル著　金光仁三郎訳　大修館書店　2002年7月
・『色の秘密』』野村順一著　文春文庫　2005年7月
・『色彩―色材の文化史―』フランソワ・ドラマール&ベルナール・ギノー著、柏木博 監修　ヘレンハルメ美穂 訳　創元社　2007年2月

・『色の博物誌』朝日新聞社編　朝日新聞社　１９８６年10月
＊「動物の色」奥井一満著＊「花の色」安田斎著＊「世界の色彩事情」近江源太郎著
・『札幌自然色：SAPPORO ECO-COLOR』熊谷直勝監修　（株）須田製版企画出版部発行　１９８７年
・『カラーリング講座』小倉ひろみ著　美術出版社　２００４年9月
・『デザインの色彩』中田満雄・北畠耀・細野尚志著　監修：日本色彩研究所　日本色研事業株式会社　１９８３年４月

■日本の伝統・文化などの関係

・『日本の72候を楽しむ　―旧暦のある暮らし―』文・白井明大、絵・有賀一広　東邦出版　２０１２年3月
・『季語で読む　枕草子』西村和子著　飯塚書店　２０１３年3月
・『京の色事典３３０』監修：藤井健三　協力：京都市、平凡社　２００４年
・『きもので読む源氏物語』近藤富枝著　河出書房新社　２０１０年5月
・『日本の色辞典』吉岡幸雄著　紫紅社　２０００年6月
・『かさねの色目』長崎盛輝著　青幻舎　１９８８年
・『配色入門』川崎秀昭著　日本色彩研究所監修　日本色研事業株式会社　２００２年
・『日本の伝統色』和の色を愛でる会著書　大和書房、２０１４年12月

■歴史・文化・自然などの関係

・『トゥルン・ウント・タクシスその郵便と企業の歴史』ヴォルフガング・ベーリンガー著　高木葉子訳　三元社　２０１４年4月
・『ハプスブルク帝国の情報メディア革命』菊池良生著　集英社　２００８年1月
・『世界の郵便ポスト』酒井正雄著　講談社エディトリアル　２０１５年
・『フランスの四季暦』文・写真　饗庭孝男　東京書籍　１９９０年

・『ヴェルレーヌ詩集』堀口大学訳　新潮社　1988年
・『西行の風景』桑子敏雄著、日本放送出版協会　1999年
・『ランボー詩集』堀口大学訳　新潮文庫　2014年90刷
・『フランス文化誌事典』ジョルジュ・ビドー・ド・リール　堀田郷弘訳　原書房　1996年
・『ケルト文化事典』金光仁三郎訳　大修館書店　2002年
・『可視光：金・銀』第1巻第5号　日本ペイント株式会社　1989年4月
・『アイヌ神謡集』復刻版　知里幸恵編　郷土研究社刊行　2002年7月17日
・『北海道の森林植物図鑑』北海道林務部監修　北海道国土緑化推進委員会編集　1976年
・『景観文化考』シリーズ10回中井和子執筆「開発こうほう」2009年4月〜2010年2月　北海道開発協会

■美術・建築・景観などの関係

・『色彩のメッセージ』小田成一著　青弓社　2015年
・『ゴッホの手紙—絵と魂の日記—』H・アンナ・スー編　千足伸行監訳　西村書店　2012年
・『マルセル・デュシャン』展図録　編集・発行／西武美術館　1981年
・『ファーブル昆虫記—伝記：虫の詩人の生涯—』奥本大三郎訳　集英社　1991年
・『南フランス』世界・美術の旅ガイド2　美術出版社　1996年
・『住宅建築』「世界の集落めぐり」文：大田邦夫　2006年11月・12月合併号
・『歴史的遺産・日本の町並み（上巻）』編著：苅谷勇雅・西村幸夫　山川出版社　2016年
・『子供のための生活空間』アンネ＝マリー・ポロウイ著　湯川利和訳　鹿島出版会　1978年12月
・『景観用語辞典』篠原修編　景観デザイン研究会著　彰国社　1998年
・『街並みの美学』芦原義信著　岩波書店　2001年
・『都市と色彩』吉田慎悟・藤井経三郎著、洋泉社　1994年
・『北のランドスケープ：保全と創造』浅川昭一郎編　環境コミュニケーションズ　2007年4月
・『まちの色彩作法』提言集　公共の色彩を考える会編　都市文化社　1994年3月

・『かくれた次元』エドワード・T・ホール著　日高敏隆・藤信行訳　みすず書房　1970年
・『ヨーロッパの色彩』ミッシェル・バスロー著　石井直志・野崎三郎共訳　（株）パピルス　1995年
・"*Le Larousse des Tout-petits*" *AGNES ROSENSTIEHL 1987*
・『第1巻色彩基礎理論』色彩スライド集　監修日本色彩研究所　2020年
・『パタン・ランゲージ』クリストファー・アレグザンダー他著、平田翰那訳　鹿島出版会　1984年12月著者略歴：
東京生まれ　日本女子大学住居学科卒業
G.K.インダストリアルデザイン研究所（東京）勤務
フランス政府給費留学生として、マルセイユ及びパリの国立美術大学へ留学、
建築および環境デザインを学ぶ
筑波大学大学院芸術研究科修了（芸術学修士）
北海道大学大学院工学院博士後期課程修了（工学博士）
中井景観デザイン研究室主宰　大学の非常勤講師
景観、環境デザイン、色彩計画等のアドバイザー

著書：
『まちの色彩作法』（共著）都市文化社、
『北のランドスケープ：保全と創造』（共著）環境コミュニケーションズ
『景観文化考』シリーズ10回執筆「開発こうほう」誌（北海道開発協会）ほか

日常にある色
色の自然誌

2024年6月20日　初版第1刷発行

著　　者　中井和子
発 行 所　株式会社共同文化社
〒060-0033　札幌市中央区北3条東5丁目
Tel　011-251-8078　Fax　011-232-8228
E-mail info@kyodo-bunkasha.net
URL　https//www.kyodo-bunkasha.net/
印刷・製本　株式会社アイワード

ISBN　978-4-87739-405-9
C0040　￥2000E